LE FRANÇAIS AU FOOTBALL

Couverture

- Maquette:
  MICHEL BÉRARD

- Photographie:
  CANADIAN FOOTBALL LEAGUE
  PROPERTIES LTD

Maquette intérieure

- Conception graphique:
  MICHEL BÉRARD

- Les illustrations sont de MICHEL BÉRARD
  excepté les dessins des pages 59, 60 et 61 qui sont
  de la CANADIAN FOOTBALL LEAGUE
  PROPERTIES LTD

DISTRIBUTEURS EXCLUSIFS:

Pour le Canada
AGENCE DE DISTRIBUTION POPULAIRE INC.,
955, rue Amherst, Montréal H2L 3K4, (514/523-1182)
Filiale du groupe Sogides Ltée
Pour l'Europe (Belgique, France, Portugal, Suisse,
Yougoslavie et pays de l'Est)
OYEZ S.A. Muntstraat, 10 — 3000 Louvain, Belgique
tél.: 016/220421 (3 lignes)

Ventes aux libraires
PARIS: 4, rue de Fleurus; tél.: 548 40 92
BRUXELLES: 21, rue Defacqz; tél.: 538 69 73

Pour tout autre pays
DÉPARTEMENT INTERNATIONAL HACHETTE
79, boul. Saint-Germain, Paris 6e, France; tél.: 325.22.11

LE FRANÇAIS AU FOOTBALL

LIGUE
CANADIENNE
DE FOOTBALL

LES ÉDITIONS DE L'HOMME*

CANADA: 955, rue Amherst, Montréal 132
EUROPE: 21, rue Defacqz — 1050 Bruxelles, Belgique

*** Filiale du groupe Sogides Ltée**

Bibliothèque nationale du Québec
Dépôt légal — 4e trimestre 1976

ISBN-0-7759-0511-9

Table des matières

Ont collaboré à cet ouvrage:

Serge Amyot, *Journal de Montréal*
René Beaulieu, Régie de la langue française du Québec
Lisette Bouchard, Ligue canadienne de football
Jean-Paul Chartrand, *Montréal-Matin*
Jean Corbeil, Régie de la langue française du Québec
Jacques Décarie, arbitre, Ligue canadienne de football
Roy Deguire, Alouettes de Montréal
Camil Dubé, Radio-Canada, Ottawa
Pierre Dufault, Radio-Canada, Montréal
Pierre Dumont, éducateur physique, analyste à la télévision
Raymond Laplante, Radio-Canada, Montréal
Guy Lecavalier, Radio-Canada, Toronto
Yves Létourneau, *La Presse,* CKAC, Montréal
Jacques Moreau, CFTM-TV, Montréal

Ce lexique de terminologie du football a été approuvé par la Régie de la langue française du Québec.

Avant-propos

En présentant aux amateurs et au public en général cette brochure de terminologie bilingue du football canadien, la Ligue canadienne de football est consciente de répondre à un besoin qui correspond à la popularité croissante de ce sport auprès des francophones du pays. Si au départ la terminologie du football est anglaise, il reste que depuis longtemps les spécialistes et particulièrement les journalistes, commentateurs et analystes des média de langue française se sont ingéniés à décrire et à commenter ce sport dans leur langue en dépit des difficultés de traduction et d'adaptation. A l'occasion, ils n'ont pas hésité à créer des néologismes et des expressions françaises destinés à mieux faire comprendre aux lecteurs, téléspectateurs et auditeurs francophones toutes les subtilités d'un jeu assez complexe, surtout pour les non-initiés.

A titre de commissaire de la Ligue canadienne de football, j'ai toujours admiré leur travail. Depuis longtemps, je déplorais qu'un organisme comme le nôtre n'eût encore rien fait pour les aider dans la codification, la normalisation et la publication des éléments d'un lexique que plusieurs d'entre eux avaient déjà en main. Faudrait-il ajouter à cela qu'à titre personnel, je me sens solidaire de l'affirmation concrète des droits linguistiques des Canadiens français dans tous les domaines, y compris le sport?

J'ai beau m'appeler Jake Gaudaur, je n'oublie pas que le premier ancêtre de ma lignée au Canada était un Français, Etienne Godard, qui était venu s'établir dans la région de Québec en 1682. Une fois la guerre de 1812 terminée, le descendant d'Etienne Godard, mon arrière-arrière-grand-père Antoine Godard se retrouva isolé dans l'île de

Penetanguishene. S'il trouva le bonheur en Haut-Canada, ses descendants y perdirent leur langue maternelle et l'orthographe originelle de leur patronyme. A travers les avatars dus à une époque où l'épellation des registres était souvent fantaisiste, le nom de Godard se transforma progressivement en Gaudaur.

Ce long cheminement qui fait que je baragouine à peine quelques mots de français n'est pas étranger à mon regret de ne pas le parler davantage et à la conviction que le bilinguisme est essentiel à la survie du Canada.

Il était tout indiqué que la Ligue canadienne de football s'adresse aux utilisateurs et aux promoteurs du français les plus efficaces: les journalistes, les analystes et les commentateurs qui assurent depuis si longtemps la couverture des activités de notre saison annuelle dans les média d'information francophones. Sous l'animation dynamique de Pierre Dufault, il se sont mis bénévolement à la tâche avec une belle ardeur qui ne s'est jamais démentie. Ils ont eu l'heureuse idée d'avoir recours à l'aide technique et méthodologique de la Régie de la langue française du Québec qui nous a généreusement détaché deux linguistes spécialisés en terminologie des sports. Grâce à leur compétence et à leurs précieux conseils, nous avons pu réaliser cette brochure qui, nous osons l'espérer, sera facile de consultation. Les premiers à l'utiliser seront sans doute ceux qui l'ont préparée et leurs confrères des média d'information. Nous comptons aussi sur sa large diffusion chez tous les amateurs de football canadien, qu'ils soient francophones ou anglophones. Nous ne saurions trop remercier tous ceux qui ont collaboré de près ou de loin à la préparation de ce travail qui ne prétend pas être complet, nous sommes les premiers à l'admettre. Ce premier "essai", qu'on nous "passe" le jeu de mots, sera certainement suivi d'éditions subséquentes, revues, corrigées et enrichies en tenant compte de l'évolution constante de la langue et du sport.

JAKE GAUDAUR
Commissaire de la
Ligue canadienne de football

Introduction

Pour nous commentateurs, journalistes, analystes et professeurs d'éducation physique, la terminologie du football a toujours présenté un défi de taille. La technique du football est peut-être la plus "sophistiquée" de tous les sports et son vocabulaire coloré et fertile en néologismes est considérable.

Ce vocabulaire du football nous est venu des Etats-Unis via le Canada anglais. Il y a une quinzaine d'années, on parvenait tant bien que mal à lui substituer une équivalence française. Cependant, journalistes et commentateurs n'arrivaient pas à faire l'unanimité. L'obstacle primordial demeurait l'anglicisme et ce problème est encore devenu plus aigu depuis une dizaine d'années. La popularité croissante du football aux Etats-Unis produit toute une nouvelle gamme d'expressions et de termes qui, par la force des choses, ont envahi le sol canadien. Pour le commentateur ou le journaliste anglophone, il n'existe pas de problème. Mais nous francophones, devons faire un sérieux "remue-méninges" pour arriver à décrire convenablement un match dans notre langue.

Sans vouloir déprécier ou sous-estimer le travail fait précédemment par d'autres journalistes et commentateurs du football au Québec, nous avons cru que le moment était arrivé de donner un grand coup pour franciser davantage le vocabulaire du football. "Le français au football" était devenu une préoccupation pour chacun d'entre nous. L'énormité de la tâche qui les attendait n'a fait peur à aucun des membres du comité choisi pour entreprendre ce travail. Le projet ayant été soumis l'an dernier au commissaire de la Ligue canadienne de football et approuvé quelques mois plus tard par ce dernier, nous nous sommes mis résolument au travail en février dernier. M. Jake Gaudaur m'a demandé de présider les réunions de ce comité et la Ligue canadienne de football a accepté de défrayer tous les coûts d'imprimerie et de distribution.

Après neuf mois de recherches, d'analyses et de discussions, la période de gestation est terminée et cet ouvrage accouche enfin.

Nous n'avons pas la prétention d'offrir au lecteur une bible du football; nous espérons simplement que ce guide rendra le football plus accessible aux francophones. Il est certain qu'on nous reprochera d'avoir oublié telle ou telle expression, tel ou tel jeu. Et on aura raison de le faire. Les membres du comité se sont efforcé de faire un bilan aussi complet que possible de toutes les expressions du football, mais nous savions tous que certaines nous échapperaient. Nous avons voulu éliminer les anglicismes, les redondances et plusieurs vieux clichés, et leur substituer un vocabulaire plus vivant, plus simple, plus imagé, plus précis et...plus français.

J'ai eu le plaisir et l'honneur de présider ce comité dynamique, enthousiaste, empressé et compétent. L'expérience a été intéressante et enrichissante pour chacun de nous. A Monsieur Jake Gaudaur, nous disons merci pour avoir parrainé notre projet. Et en ce qui me concerne, j'ajoute mes remerciements aux membres du comité. Grâce à vous, Messieurs, le français au football se portera mieux au Canada français.

Pierre Dufault
Président du comité

Lexique français-anglais

1.	accepter la pénalité	accept the penalty (to)
2.	à champ libre	open field
3.	à champ ouvert	open field
4.	à contrechamp	against the flow; against the grain
5.	à contre-courant	against the flow; against the grain
6.	à découvert	in the clear
7.	affectation	assignment
8.	ailier	end *(voir schéma no 3)*
9.	ailier défensif	defensive end *(voir schéma no 2)*
10.	ailier éloigné	split-end *(voir schéma no 3)*
11.	ailier espacé	split-end *(voir schéma no 3)*
12.	ailier rapproché	tight-end *(voir schéma no 3)*
13.	aine	groin
14.	ancrer, s'	set up (to)
15.	angle de poursuite	pursuit angle
16.	appel de changement de jeu	audible
17.	appel de l'automatique	audible
18.	arbitre	referee
19.	à reculons	backwards
20.	arrêt de jeu	stoppage of play
21.	arrêt et démarrage	stop and go *(voir schéma no 41)*
22.	arrière	fullback *(voir schéma no 3)*

23. asséner un coup	lower the boom (to)
24. assignation	assignment
25. attaque	offensive *(voir schéma no [illegible])*
26. attaque au sol	ground game
27. attrapé	catch (completion)
28. attrapé en plongeant	diving catch
29. au centre	up the middle
30. automatique, l'	automatic
31. axer son jeu sur	keying
32. balayage de l'aile	end sweep *(voir schéma no 25*
33. ballon	ball; pigskin
34. ballon en jeu	live ball
35. ballon libre	free ball
36. ballon mort	dead ball
37. ballon tournoyant	end over end ball
38. barre horizontale (transversale)	crossbar
39. bien repérer ses receveurs	pick his receivers well (to)
40. blitz	blitz *(voir schémas nos 16, 17, 18)*

(forme abrégée du terme allemand "blitzkrieg" — littéralement guerre éclair — utilisée pour désigner la charge surprise d'un secondeur qui anticipe la levée du ballon.)

41. blocage à deux	double team blocking
42. blocage avec obstruction	screen blocking
43. blocage croisé	cross blocking
44. blocage de biais	slant blocking
45. blocage de retour (de botté)	downfield blocking
46. blocage de zone	zone blocking
47. blocage en bas de la ceinture	blocking below the waist *(voir schéma no 78)*

48. blocage en diagonale	slant blocking
49. blocage en "X"	cross blocking
50. blocage homme à homme	man to man blocking
51. blocage isolé	man to man blocking
52. blocage oblique	slant blocking
53. blocage par derrière	clipping *(voir schéma no 64)*
54. blocage pour le passeur	pass blocking
55. blocage simulé	brush blocking; nudge blocking
56. blocage surprise	crack back blocking *(voir schéma no 77)*
57. bloc bas	low level block
58. bloc debout	stand-up block
59. bloc de la hanche	cross body block
60. bloc de l'avant-bras	forearm block
61. bloc de l'épaule	shoulder block
62. bloc en chassé-croisé	stunt blocking
63. bloc horizontal	cross body block
64. bloc inattendu	blind side block
65. bloc piège	trap block
66. bloc sans avertissement	blind side block
67. bloc surprise	blind side block
68. bloquer vers l'extérieur	block outside (to)
69. bloquer vers l'intérieur	block inside (to)
70. bloqueur	offensive tackle
71. bombe (longue passe)	bomb
72. boni	bonus
73. bonne variété de jeux	mixing his plays well
74. botté bloqué	blocked kick
75. botté court en jeu	onside kick
76. botté de dégagement	punt
77. botté d'envoi	kick off
78. botteur	kicker; punter
79. botteur de placement	place kicker
80. botteur de précision	place kicker

81. bouclier coussiné	shield
82. bras tendu	straight arm
83. brèche	hole
84. brèche-éclair	quick opener
85. bureau du commissaire	commissioner's office
86. but de football	football goal
87. "canard blessé"	"lame duck"

(expression utilisée pour désigner un ballon qui ballotte au cours de sa trajectoire.)

88. capitaine	captain
89. casque	helmet
90. caucus	huddle
91. caucus trop long	too long in the huddle
92. centre	centre *(voir schéma no 3)*
93. chaîneurs	stickmen
94. changement de direction	change of direction; cutback
95. changement de rythme	change of pace
96. changement de vitesse	change of pace
97. charge du secondeur	red dogging *(voir schéma no 16)*
98. charger (défense)	rush (to)
99. choisir un jeu	call a play (to)
100. choix au repêchage	draft choice to
101. choix cédé à	choice given to
102. choix de jeu	play selection
103. chronométreur	timekeeper
104. claquage	Charley horse
105. clause de non-renvoi	no cut, no trade
106. clause interdisant l'échange	no cut, no trade
107. collier protecteur	horse collar
108. commissaire	commissioner
109. commotion	concussion
110. compensations futures	future considerations

111. compte — score
112. concéder — conceed (to)
113. concentration — concentration
114. concession — franchise
115. conduite répréhensible — objectionable conduct *(voir schéma no 70)*
116. contact avec le botteur — contacting the kicker *(voir schéma no 66)*
117. contact et esquive — bump and run
118. contrôle du ballon — ball control
119. contusion — bruise
120. "corde à linge" — "clothesline"

(expression utilisée pour décrire l'action énergique d'un plaqueur qui, de son bras tendu horizontalement, frappe durement le porteur du ballon, à la hauteur de la tête, pour le renverser.)

121. côté éloigné — wide side
122. côté étroit — short side
123. côté faible — weak side
124. côté fort — strong side
125. côté large — wide side
126. côté rapproché — short side
127. côté renforcé — strong side
128. coup d'envoi — kick off
129. coupure — cut
130. courir à travers la mêlée (attaque) — rush (to)
131. courir vers l'aile — run outside (to)
132. courir vers l'extérieur — run outside (to)
133. courir vers l'intérieur — run inside (to)
134. courir vers l'ouverture — run for daylight (to)
135. course à la dérobée du quart — bootleg
136. course à travers la mêlée — broken field run
137. course au bloqueur — off-tackle *(voir schéma no 26)*

138. course en zigzag	broken field run
139. courses	carries
140. court tracé diagonal	quick slant pattern *(voir schéma no 32)*
141. court tracé extérieur	short out pattern *(voir schéma no 34)*
142. couverture	coverage
143. couvre-feu	curfew
144. crampons	cleats
145. crochet	curl pattern *(voir schéma no 37)*
146. crochet extérieur	curl-out *(voir schémas nos 34 et 35)*
147. crochet intérieur	curl-in *(voir schéma no 31)*
148. débarrasser du ballon, se	grounding the ball
149. débordement	overshift
150. déceler un receveur	spot a receiver (to)
151. déchirure	tear
152. décider d'un jeu	call a play (to)
153. décision du commissaire	commissioner's ruling
154. décliner la pénalité	decline the penalty (to) *(voir schéma no 74)*
155. décoller	scamper (to)
156. décompte du temps	time in *(voir schéma no 49)*
157. décompte lent	long count
158. défense	defence; defensive; coverage *(voir schéma no 2)*
159. défense contre la passe	pass coverage
160. défense de harcèlement	pressing defence
161. défense de zone	zone coverage *(voir schémas nos 20 et 21)*
162. défense homme à homme	man to man coverage *(voir schéma no 19)*

163.	défense mixte	mixed defence
164.	défense préventive	prevent defence
165.	défenseur	defender
166.	défenseur contre la passe	pass defender
167.	dégagement	punt
168.	dégagement avec joueur en latérale	onside punt
169.	dégager, se	break open (to)
170.	dégingandé (désarticulé)	razzle dazzle

(se dit d'un joueur au style peu orthodoxe qui improvise souvent et dont les allures imprévisibles déroutent les poursuivants.)

171.	demande de mesurage	request for measurement; measurement request *(voir schéma no 75)*
172.	demi	halfback; tailback *(voir schémas nos 2 et 3)*
173.	demi bloqueur	blocking back
174.	demi de coin	corner back *(voir schéma no 2)*
175.	demi de sûreté	safety back *(voir schéma no 2)*
176.	demi en maraude	monster *(voir schéma no 2)*
177.	demi inséré	slotback; wing back *(voir schéma no 3)*
178.	demis en recul (action)	deep backs
179.	demis reculés (état)	deep backs
180.	demi-tour	cutback
181.	dépanneur	safety valve
182.	déplacement latéral	rollout
183.	détaler	scamper (to)
184.	détenteur du record	record holder

185.	détournement	draw-play *(voir schéma no 22)*
186.	deuxième	runner up
187.	deuxième demie	second half
188.	deuxième essai	second down *(voir schéma no 53)*
189.	deuxième jeu	second down *(voir schéma no 53)*
190.	deuxième ligne défensive	secondary line
191.	deuxième mi-temps	second half
192.	deux infractions	dual fouls
193.	directeur de la mise en marché	director of marketing
194.	directeur de l'information	director of information
195.	directeur des arbitres	director of officiating
196.	directeur des officiels	director of officiating
197.	directeur gérant	general manager
198.	dislocation	dislocation
199.	dislocation de l'épaule	shoulder dislocation
200.	disqualification	disqualification *(voir schéma no 59)*
201.	double infraction	double foul
202.	droits de négociations	negotiating rights
203.	du côté de l'aile	around end
204.	échappé	fumble
205.	échappée	breakaway
206.	échapper,s'	run for daylight (to)
207.	échapper à un plaqueur	shake off a tackle (to)
208.	éducatif	drill
209.	élongation	strain
210.	élongation du tendon du jarret	pulled hamstring
211.	élongation musculaire	pulled muscle
212.	emboutir (enfoncer en frappant violemment)	pile into linebacker (to)

213. embrouilleur	scrambler
214. empilade	piling on *(voir schéma no 65)*
215. enclave (fer à cheval)	pocket
216. en mouvement	in motion
217. en plein centre	right through the middle; right over the middle
218. entaille	cut
219. entorse	sprain
220. en touche	out of bounds
221. entraîneur adjoint	assistant coach
222. entraîneur en chef	head coach
223. entre-zone	seams
224. envahir une zone	flood a zone (to)
225. épaulières	shoulder pads
226. épuisement	heat exhaustion
227. esquive du quart	bootleg
228. être bafoué	be burned (to)
229. être congédié	be cut (to)
230. être dans la partie	be up for the game (to)
231. être inspiré	be up for the game (to)
232. être refoulé pour une perte de terrain	be thrown for a loss (to)
233. être retranché	be cut (to)
234. exécution	execution
235. exercice	scrimmage; drill
236. expulsion	expulsion
237. faire demi-tour	reverse his field (to)
238. faire mouche	thread the needle (to)
239. faire sonner, se	"bell rung"
240. faire trébucher (croc en jambe)	tripping
241. faire un carton	thread the needle (to)
242. faire une trouée	open a hole
243. faufilade du quart	quarterback sneak
244. feinte	fake

245.	feinte de course et passe	play action pass
246.	feinte de pivot	reverse pivot
247.	feinter	deke (to)
248.	flairer une défense	read a defence (to)
249.	flanc	flat area
250.	flanc arrière	back side
251.	flanqueur	flanker *(voir schéma no 3)*
252.	formation à double flanqueur	double wing formation *(voir schéma no 5)*
253.	formation défensive	defensive formation; defensive team *(voir schéma no 2)*
254.	formation en coin	wedge
255.	formation en "I"	"I" formation *(voir schéma no 8)*
256.	formation en "I" à 3	stacked "I" *(voir schéma no 9)*
257.	formation en "I" à 4	"I" formation
258.	formation en "T"	"T" formation *(voir schéma no 10)*
259.	formation en "T" à 3	full house backfield *(voir schéma no 10)*
260.	formation en "V"	wedge
261.	formation en "Y"	wishbone formation *(voir schéma no 11)*
262.	formation équilibrée (équipe)	balanced formation
263.	formation éventail	shot gun formation
264.	formation "shot gun"	shot gun formation
265.	formation symétrique (disposition)	balanced formation
266.	foulure	sprain
267.	gagnant	winner
268.	gain du ballon	gain possession
269.	gains au sol	rushing
270.	garde	guard *(voir schéma no 3)*

271. garde-centre — middle guard
(voir schémas nos 12 et 14)
272. garde sortant — pulling guard
273. gaucher — southpaw
274. gazon synthétique — artificial turf
275. gêner — press (to)
276. genouillères — knee pads
277. guetteur — spotter
278. harceler — press (to)
279. hors-jeu — offside
(voir schéma no 67)
280. hors limites — out of bounds
281. huit (8) intercalés — gap eight (8)
282. indicateur d'essais — downsman
283. infraction — infraction; foul; flag on the play
284. infraction à l'immunité de cinq (5) verges — no yards
(voir schéma no 61)

N.B. Cette immunité n'est accordée qu'au receveur de bottés de dégagement.

285. infraction au jeu — flag on the play
286. infraction sur le jeu — flag on the play
287. interception — interception
288. jeu à contre-pied — counter play
(voir schéma no 30)
289. jeu d'attiré — draw-play
(voir schéma no 22)
290. jeu d'attiré du quart — quarterback draw
(voir schéma no 29)
291. jeu d'option — option play
292. jeu du joueur oublié — sleeper player
293. jeu improvisé — broken play
294. jeu piège — trap play
(voir schéma no 24)

295.	jeu simulé	scrimmage
296.	jeux au sol	running plays; running game
297.	jeux de botté	kicking plays; kicking game
298.	jeux de passe	passing plays; passing game
299.	jouer sans conviction	be flat (to)
300.	joueur "All-American"	All-American player
301.	joueur américain	import
302.	joueur américain désigné	designated import
303.	joueur canadien	non-import
304.	joueur canadien pré-sélectionné	protected Canadian player
305.	joueur de deuxième saison	sophomore
306.	joueur en mouvement	man in motion
307.	joueur étoile canadien	All-Canadian player
308.	joueur le plus remarquable	most outstanding player
309.	joueur libre	free agent
310.	joueur sans contrat	free agent
311.	juge de ligne	field judge; headlinesman
312.	juge de mêlée	line umpire
313.	juge du champ arrière	back umpire
314.	lancer avec force	rifle (to)
315.	lancer en suspension	jump pass; pro pass
316.	lancer rapide	quick release; quick pitch out
317.	lauréat	winner
318.	ligaments déchirés au genou	torn knee ligaments
319.	ligne de côté	sideline *(voir schéma no 1)*
320.	ligne défensive	defensive line

321.	ligne de fond	dead ball line *(voir schéma no 1)*
322.	ligne de mêlée	line of scrimmage
323.	ligne d'engagement	line of scrimmage
324.	ligne des buts	goal line *(voir schéma no 1)*
325.	ligne équilibrée	balanced line
326.	ligne offensive	offensive line
327.	ligne renforcée	stacked line
328.	Ligue canadienne de football	Canadian Football League
329.	liste des blessés	injury list
330.	long tracé extérieur	deep out pattern *(voir schéma no 35)*
331.	longue remise (du centre au quart)	long snap
332.	maîtrise du jeu	ball control
333.	maniement du ballon	ball handing
334.	mannequin d'entraînement	tackling dummy
335.	maraudeur	rover *(voir schéma no 2)*
336.	marquage à deux	double team coverage
337.	marque	score
338.	marque de mise en jeu	hash mark
339.	marqueur	scorekeeper
340.	match (match inter-section)	game (interlocking game)

N.B. Quand il s'agit d'une partie disputée entre des équipes de sections différentes, on parle d'un match inter-section.

341.	meneur de claque	cheer leader
342.	ménisque	meniscus
343.	mentonnière	chin strap
344.	mi-temps	halftime
345.	montants verticaux	uprights
346.	mouvement latéral	rollout
347.	moyenne	average
348.	ne pas être repêché	waived through the league

349.	nerf coincé	pinched nerve
350.	non-diplômé	drop out
351.	numérotage	numbering
352.	obliquer	cut back (to)
353.	obstruction	interference *(voir schéma no 62)*
354.	obstruction de la vue	screening
355.	obstruction planifiée	pick play
356.	occasion	opportunity
357.	opportuniste	opportunist
358.	ouverture	hole
359.	parer un bloc	lookout block
360.	par l'aile	around end
361.	partie	game
362.	passe complétée par le receveur	completed pass
363.	passe de côté au demi en course	swing pass *(voir schéma no 42)*
364.	passe de désespoir	desperation pass
365.	passe défendue	illegal pass *(voir schéma no 69)*
366.	passe désespérée	desperation pass
367.	passe différée	delayed pass
368.	passe en cloche	flare pass
369.	passe en flèche	fire pass; bullett pass *(voir schéma no 44)*
370.	passe en lob	shovel pass
371.	passe en retrait	pitch out
372.	passe hors-jeu	offside pass
373.	passe incomplète	incomplete pass
374.	passe irrégulière	illegal pass *(voir schéma no 69)*
375.	passe latérale	lateral pass
376.	passe molle	wobbly pass
377.	passe-piège	screen pass *(voir schéma no 28)*

N.B. On peut utiliser dans la même acception: passe-écran; passe-balayage.

378.	passe prohibée	illegal pass *(voir schéma no 69)*
379.	passe rapide	quick pitch out
380.	passe ratée	incomplete pass
381.	passe retardée	delayed pass
382.	passe réussie	completed pass
383.	passes	passes
384.	passes complétées	passes completed
385.	passes réussies	passes completed
386.	passes tentées	passes attempted
387.	passeur au style classique	drop back passer
388.	passeur au style orthodoxe	drop back passer
389.	"patate chaude"	"hot potato"

(expression utilisée pour décrire un jeu qui fait intervenir plus de deux remises au champ arrière.)

390.	pénalisations	penalties
391.	pénalité pour avoir retardé le match	time count violation *(voir schéma no 51)*
392.	pénalités	penalties
393.	pénétration en terrain adverse à partir de la ligne de centre	penetration
394.	percée	hole
395.	percée éclair	quick opener
396.	percuter l'allier	crack the end (to)
397.	période	period
398.	période d'inactivité	lay-off
399.	période léthargique	slump
400.	permutation (déplacement)	stunting
401.	personnel entraîneur	coaching staff
402.	perte de l'essai	loss of down; down lost
403.	perte du ballon	forfeit possession
404.	piétinement à reculons	backpedal

405. pivot	pivot
406. placement	field goal *(voir schéma no 55)*
407. placement (botté de placement)	placement (kick)
408. plaquage au retour (de botté)	downfield tackling
409. plaquage du quart en recul	quarterback sack
410. plaquage en bande	gang tackling
411. plaquage en groupe	gang tackling
412. plaquage en meute	gang tackling
413. plaquage en poursuite	open field tackling
414. plaqué aux chevilles	shoestring tackle
415. plaqué de désespoir	desperation tackle
416. plaqué en plongeant	diving tackle
417. plaqué en solo	unassisted tackle
418. plaqué inattendu	blind side tackle
419. plaqué sans avertissement	blind side tackle
420. plaqué surprise	blind side tackle
421. plaqueur	defensive tackle *(voir schéma no 2)*
422. plaqueur (celui qui exécute le plaqué)	tackler
423. plongeon à travers la mêlée	plunge *(voir schéma no 27)*
424. plonger à travers la mêlée	plunge (to)
425. point faible	weak spot
426. point vulnérable	weak spot
427. porteur de ballon	ball carrier
428. porteur du ballon	ball carrier
429. ports (du ballon)	carries
430. position	stance
431. position à deux (2) points d'appui	two (2) point stance
432. position à quatre (4) points d'appui	four (4) point stance

433.	position à trois (3) points d'appui	three (3) point stance
434.	poteau des buts	goal post
435.	poteaux verticaux	uprights
436.	poursuite	pursuit
437.	précision	pin point accuracy
438.	première demie	first half
439.	première ligne défensive	front four
440.	première mi-temps	first half
441.	premier essai	first down *(voir schéma no 52)*
442.	premier jeu	first down *(voir schéma no 52)*
443.	premier receveur	primary receiver
444.	prendre position	set up (to)
445.	préposé à l'équipement	equipment manager
446.	présentateur (d'un candidat)	nominator
447.	presser	rush (to)
448.	pression sur le quart	pass rush
449.	prix	awards
450.	procédure défendue	illegal procedure *(voir schéma no 68)*
451.	procédure illégale	illegal procedure *(voir schéma no 68)*
452.	procédure irrégulière	illegal procedure *(voir schéma no 68)*
453.	protecteur de hanches	hip pad
454.	protecteur facial	face guard; face mask
455.	protecteurs de cuisses	thigh pads
456.	protection au passeur	pass blocking
457.	protection maximale	maximum protection *(voir schéma no 48)*
458.	protège-cuisses	thigh pads
459.	provoquer un hors-jeu	draw offside (to)
460.	publicitaire	public relations officer
461.	quart	period

462. quart	quarterback *(voir schéma no 3)*
463. quart au style échevelé	scrambler
464. quart au style non classique	scrambler
465. quart de réserve	backup quarterback
466. quart substitut	backup quarterback
467. rabattre le ballon au sol	knock down the ball (to)
468. rater un botté	shank (to)
469. rayon de protection de cinq (5) verges	five-yard restraining zone
470. réception	catch (completion)
471. receveur	receiver
472. receveur autorisé	eligible receiver
473. receveur éloigné	wide receiver
474. receveur non-autorisé	ineligible receiver *(voir schéma no 73)*
475. récompenses	awards
476. recordman	record holder
477. recouvrement	recovery
478. recouvrement d'échappé	fumble recovery
479. refuser la pénalité	decline the penalty (to)
480. règlements	rules
481. régler son jeu sur	keying
482. réintégrer un joueur	reactivate a player (to)
483. remettre à	hand to (to)
484. remise	handoff
485. remise (du centre au quart)	snap
486. remise en jeu	scrimmage
487. renversement	reverse *(voir schéma no 23)*
488. renversement double	double reverse
489. repêchage	draft; waivers
490. repérer la brèche	pick a hole(to)
491. repérer la trouée	pick a hole (to)

492. repérer l'ouverture	pick a hole (to)
493. repérer un receveur	spot a receiver (to)
494. reprise du ballon	regain possession
495. reprise du jeu	scrimmage
496. réservistes	taxi squad
497. retenir	holding *(voir schéma no 63)*
498. retour d'échappé	fumble return
499. retour d'interception	interception return
500. réussir un placement	split the uprights (to)
501. revenir vers le ballon	come back to the ball (to)
502. revirement	turnover

(fait pour une équipe d'entrer en possession du ballon à la suite d'un jeu extraordinaire: échappé, interception, botté bloqué, etc.)

503. ruban adhésif	tape
504. rudesse	unnecessary roughness *(voir schéma no 58)*
505. rudesse à l'endroit du botteur	roughing the kicker
506. rudesse à l'endroit du passeur	roughing the passer
507. rudesse excessive	rough play *(voir schéma no 59)*
508. sac du quart	quarterback sack
509. saisir le protecteur facial	grasping the face mask *(voir schéma no 60*
510. salaire	wages
511. score	score
512. secondeur	linebacker *(voir schéma no 2)*
513. secondeur au centre	middle linebacker *(voir schéma no 2)*
514. secondeur extérieur	corner linebacker; outside linebacker *(voir schéma no 2)*
515. secondeur intérieur	middle linebacker *(voir schéma no 2)*

516.	Section Est (division)	Eastern Football Conference
517.	Section Ouest (division)	Western Football Conference
518.	sens de l'équilibre	body control; good balance
519.	siège social de la ligue	head office of the league
520.	sifflet	whistle
521.	simple	single *(voir schéma no 57)*
522.	soigneur	trainer
523.	sortie (du garde)	pull
524.	sortie différée de l'arrière (sur jeu au sol ou sur jeu de passe)	full back delay *(voir schéma no 46)*
525.	sortie retardée de l'arrière (sur jeu au sol ou sur jeu de passe)	full back delay *(voir schéma no 46)*
526.	spirale	spiral
527.	substitution illégale	illegal substitution *(voir schéma no 72)*
528.	substitution prohibée	illegal substitution *(voir schéma no 72)*
529.	superviseur des officiels	officiating supervisor
530.	support de genou	knee brace
531.	sucharger une zone	flood a zone (to)
532.	surveillance à deux	double team coverage
533.	suspensoir	jock strap
534.	synchronisation	timing
535.	temps mort	time out *(voir schéma no 50)*
536.	tendinite	tendinitis
537.	teneur	holder

(joueur qui, lors d'un botté de placement ou de transformation, maintient fixement le ballon au sol.)

538.	ténosite	tendinitis
539.	tenue du ballon	holding the ball
540.	terrain	field of play; gridiron
541.	touché	touchdown *(voir schéma no 55)*

542. touché de sûreté	safety touch *(voir schéma no 56)*
543. tour de repêchage	draft round
544. tracé	pattern
545. tracé au coin	corner pattern *(voir schéma no 40)*
546. tracé au drapeau	flag pattern *(voir schéma no 39)*
547. tracé au poteau	post pattern *(voir schéma no 36)*
548. tracé croisé	cross pattern
549. tracé de repli	come back pattern (come backer) *(voir schéma no 35)*
550. tracé diagonal	slant pattern *(voir schéma no 32)*
551. tracé diagonal extérieur	slant out pattern
552. tracé en crochet	curl pattern; buttonhook pattern; hook pattern *(voir schéma no 37)*
553. tracé en ligne droite	straight pattern
554. tracé extérieur à angle droit	out pattern *(voir schéma no 35)*
555. tracé intérieur à angle droit	in pattern *(voir schéma no 31)*
556. tracé oblique	slant pattern
557. tracé sprint	fly pattern *(voir schéma no 38)*
558. tracé sprint au poteau	quick post pattern *(voir schéma no 36)*
559. traîneau à sept	seven man sled
560. trait de mise en jeu	hash mark
561. transformation (converti)	extra point; point after; conversion; convert

562.	transformation de deux (2) points	two (2) point conversion
563.	troisième essai	third down *(voir schéma no 54)*
564.	troisième jeu	third down *(voir schéma no 54)*
565.	trop de joueurs sur le terrain	too many players on the field *(voir schéma no 70)*
566.	trophée commémoratif	memorial trophy
567.	trouée	hole
568.	vers l'aile	around end
569.	viser l'entrezone	split the seams (to)
570.	zones des buts zone du but	goal area; paydirt *(voir schéma no 1)*
571.	zone neutre	neutral zone

Index alphabétique anglais *

* Les numéros qui suivent chacun des termes anglais renvoient à ceux qui précèdent le terme français dans le lexique français-anglais.

C

D

E

F

P

Q

R

S

Formations du football

Les pages qui suivent vous proposent des schémas illustrant les principales formations à l'attaque et à la défense. Ce sont bien sûr des formations de base, car il aurait été trop long et peut-être inutile de dessiner toutes les variantes inspirées de ces formations. A vrai dire, il serait très difficile de mentionner toutes les possiblités qui s'offrent à un entraîneur tellement celui-ci peut opérer de variantes dans les déplacements de ses demis et de ses receveurs. Encore faut-il ajouter qu'avec la possibilité qu'ont tous les joueurs de champ-arrière d'être en mouvement avant la remise en jeu, il devient impossible d'illustrer toutes les options. La même remarque s'applique aux formations de défense.

Dimensions des terrains de football au Canada et aux Etats-Unis

1 Dimensions des terrains de football

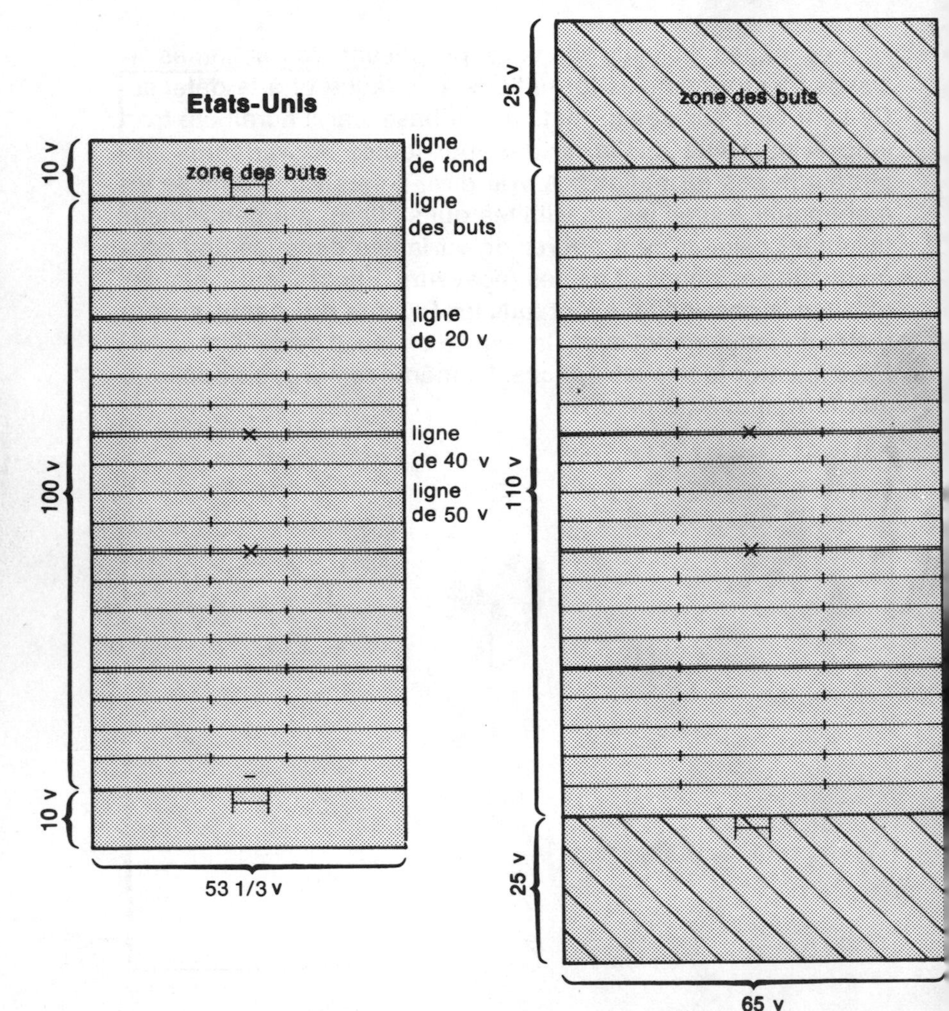

Positions des joueurs à l'attaque et à la défensive

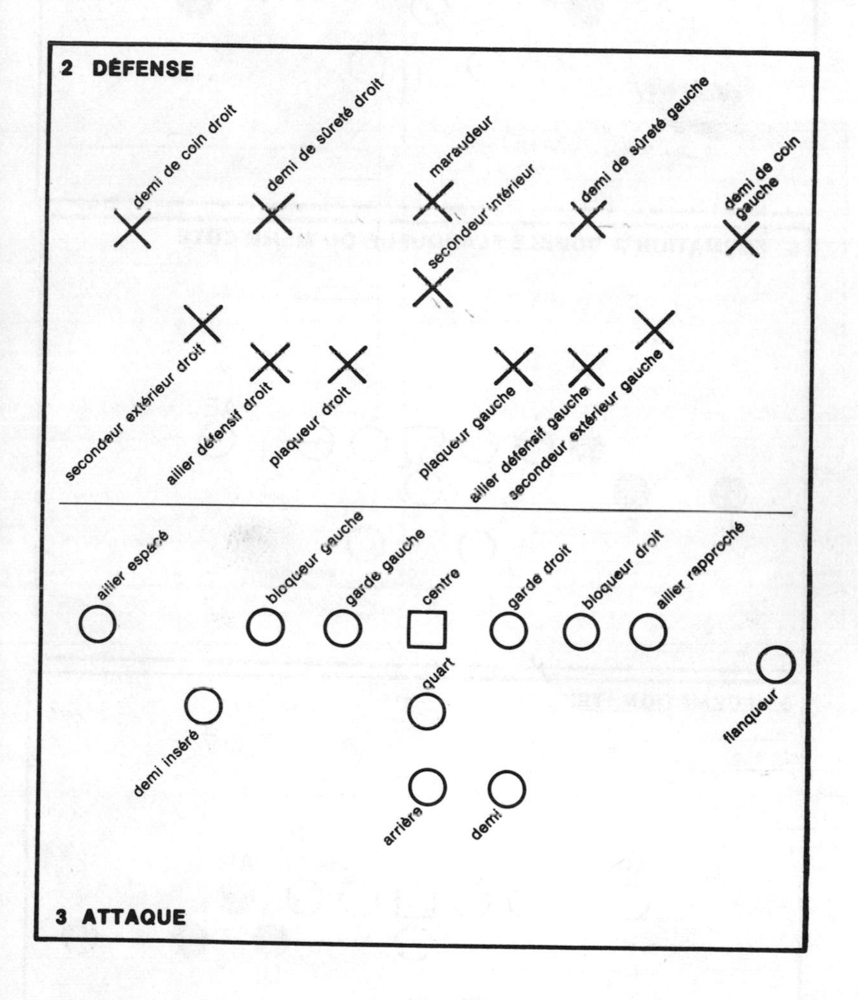

Principales formations à l'attaque

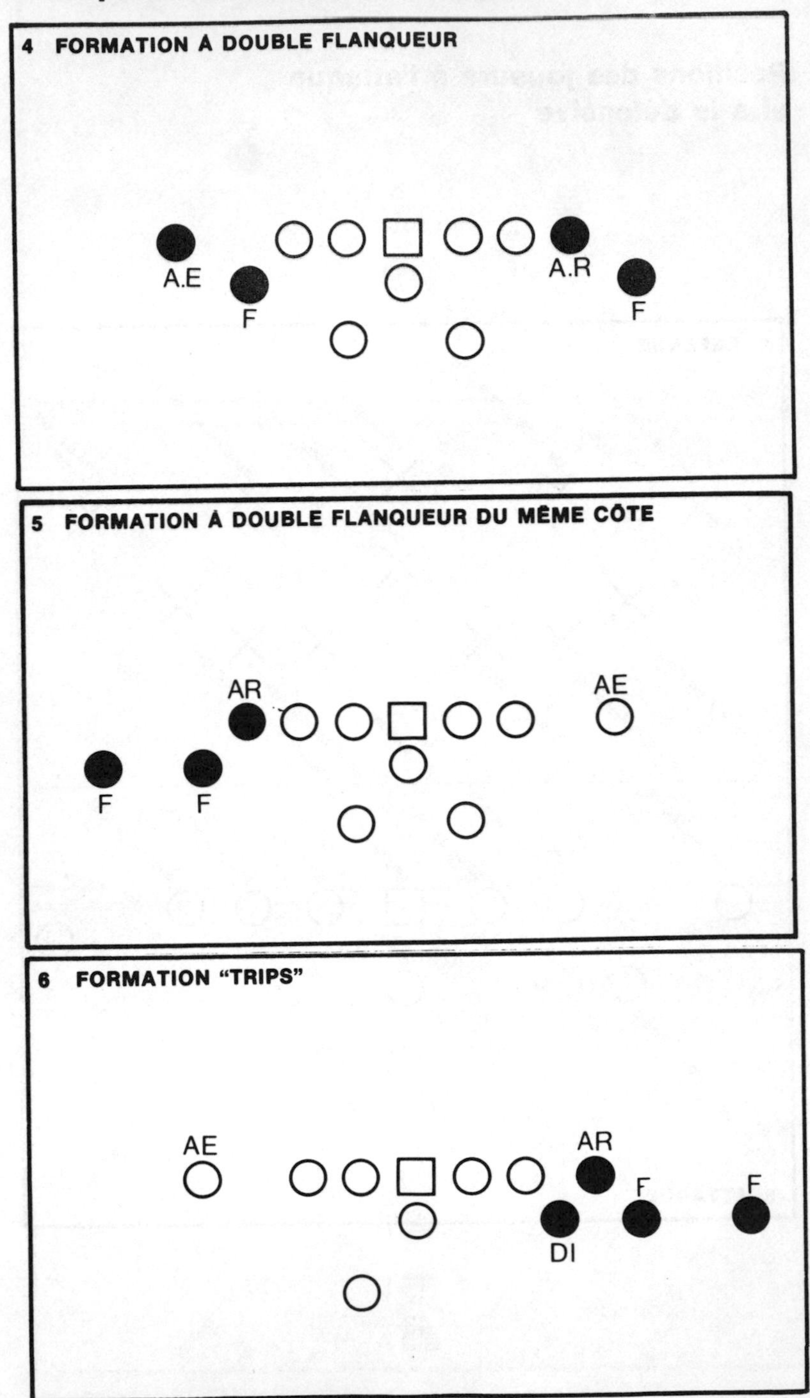

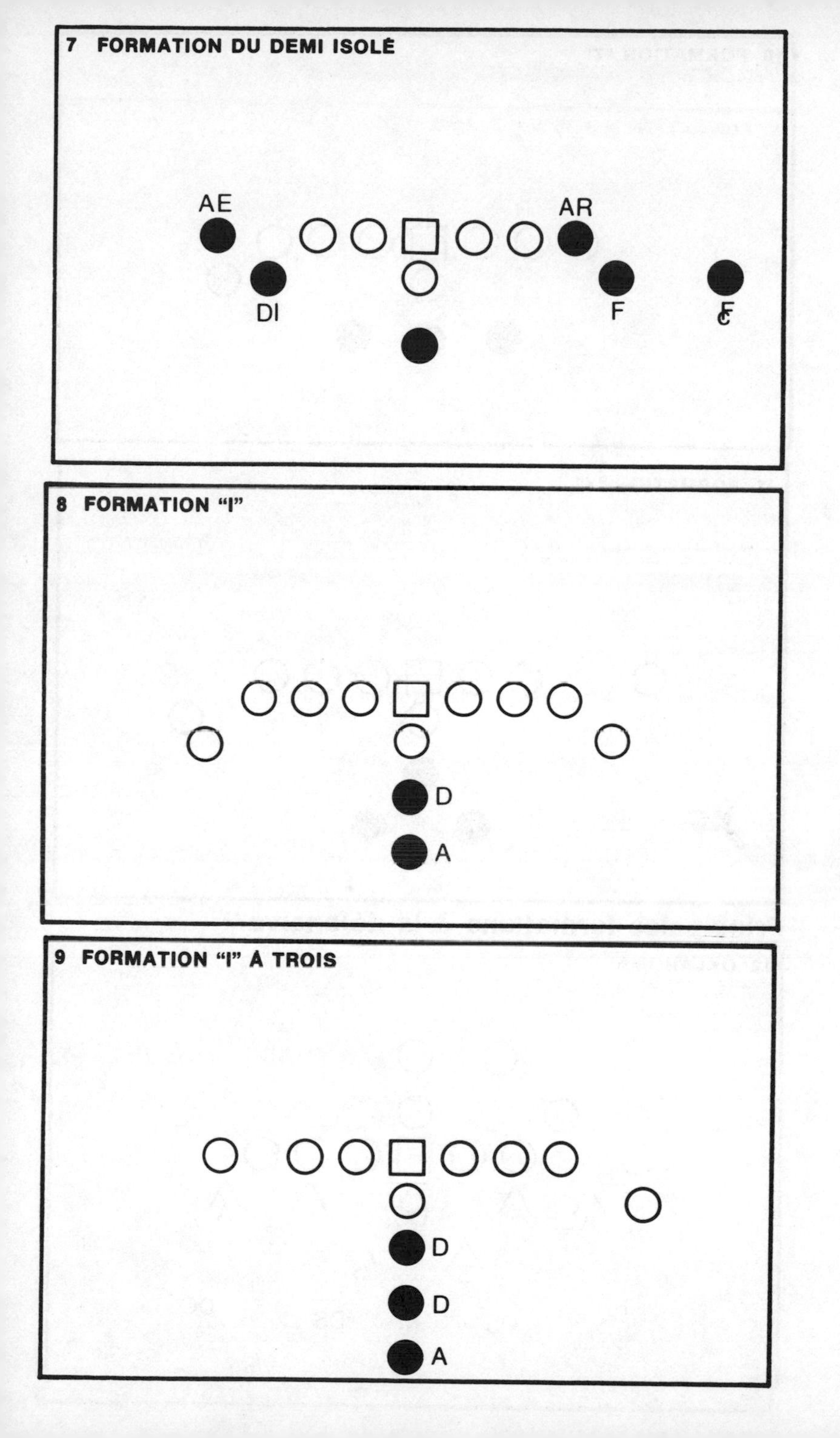
7 FORMATION DU DEMI ISOLÉ
AE
AR
DI
F
F
C
8 FORMATION "I"
D
A
9 FORMATION "I" À TROIS
D
D
A

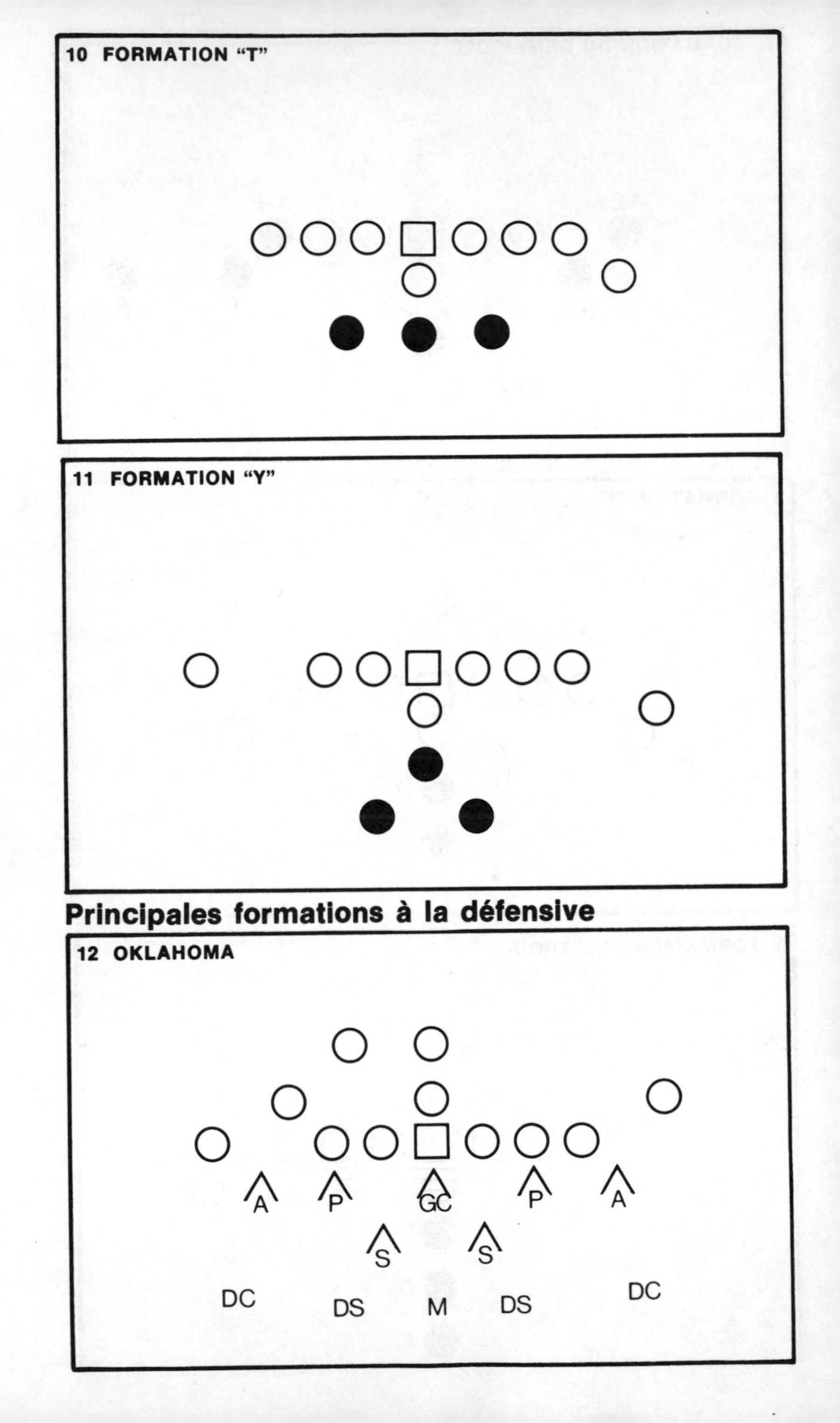
10 FORMATION "T"
11 FORMATION "Y"
Principales formations à la défensive
12 OKLAHOMA
A
P
GC
P
A
S
S
DC
DS
M
DS
DC

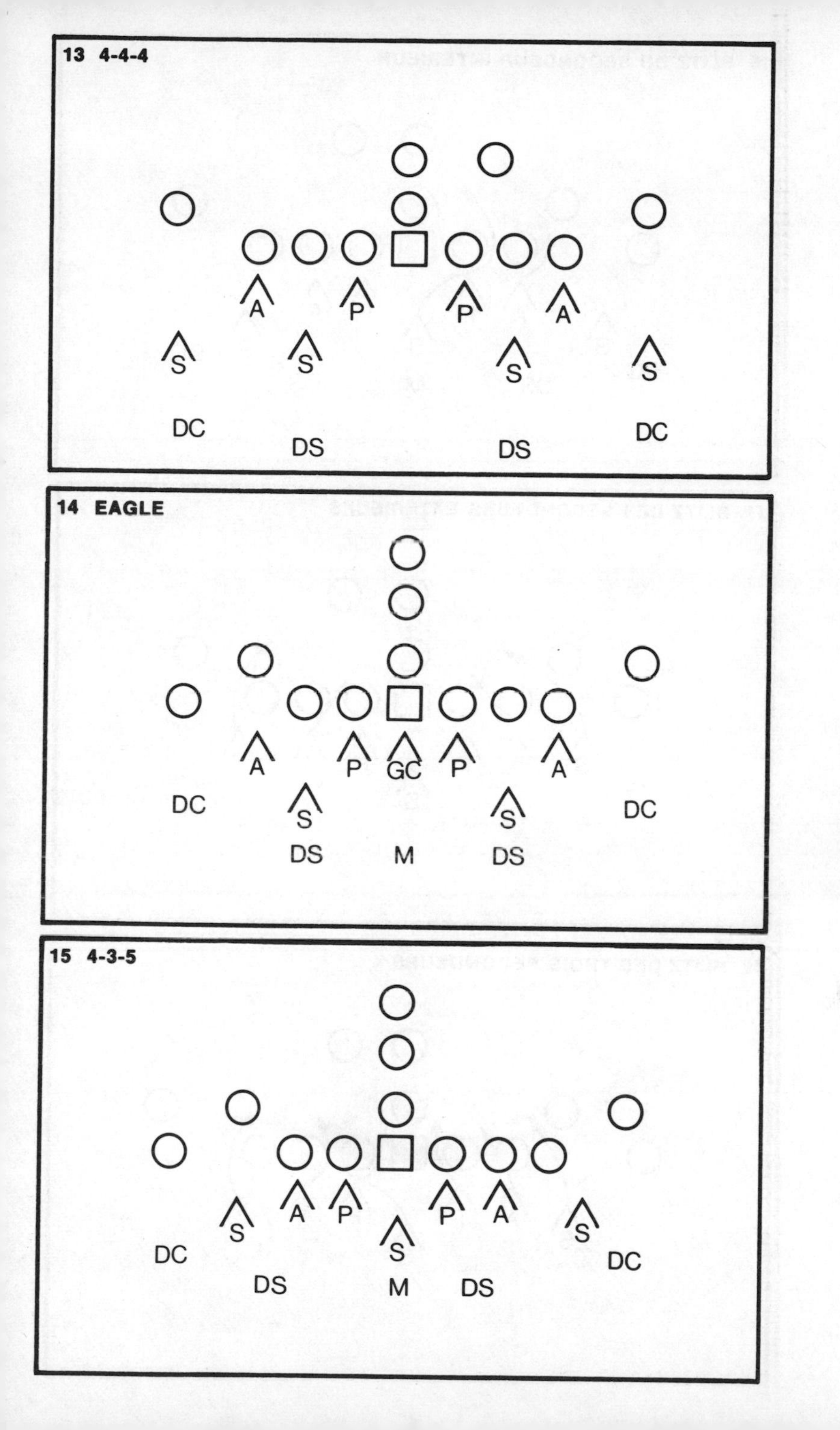

13 4-4-4
A
P
P
A
S
S
S
S
DC
DS
DS
DC
14 EAGLE
A
P
GC
P
A
DC
S
S
DC
DS
M
DS
15 4-3-5
S
A
P
P
A
S
S
DC
DC
DS
M
DS

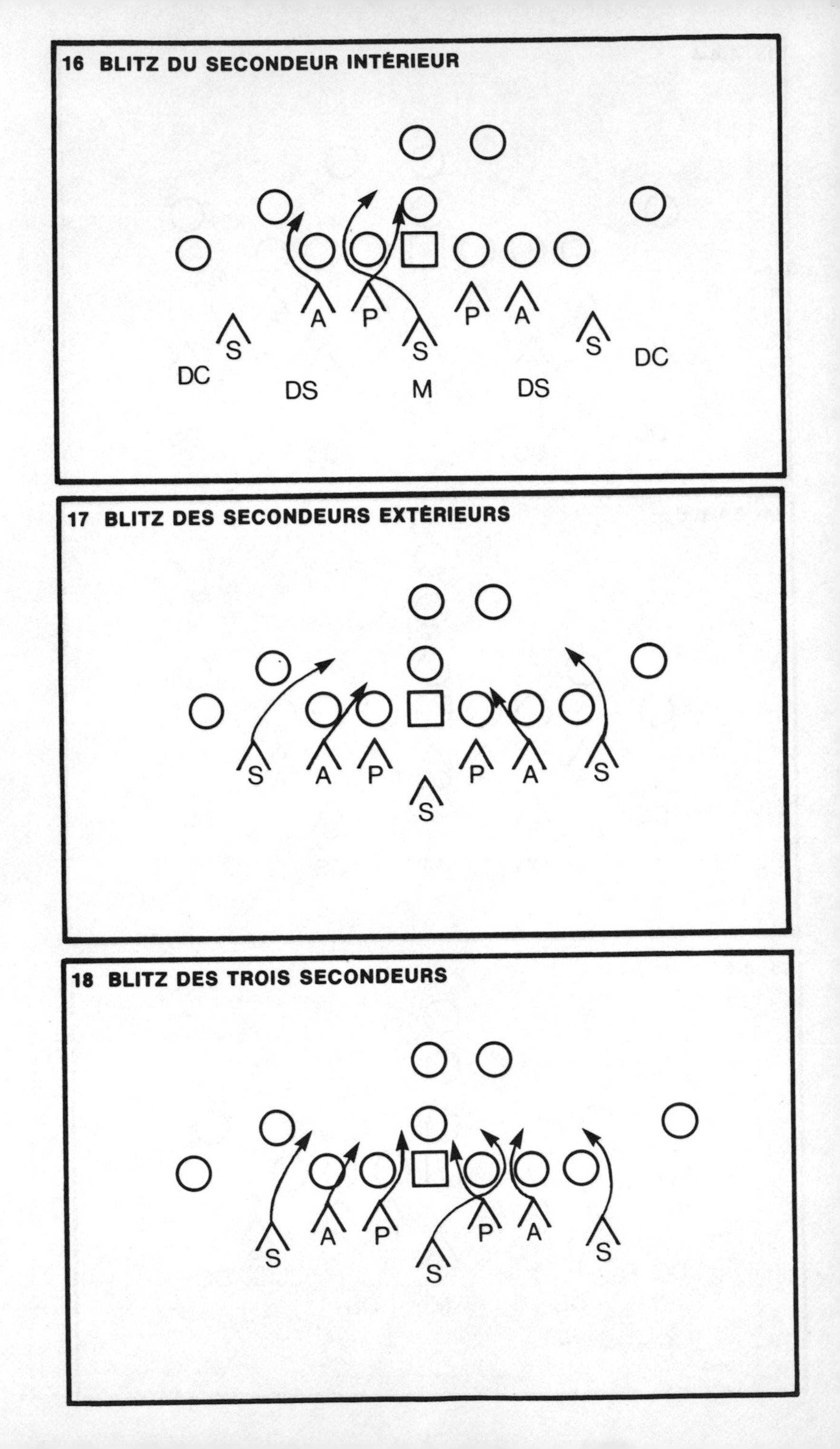
16 BLITZ DU SECONDEUR INTÉRIEUR
A
P
P
A
S
S
S
DC
DC
DS
M
DS
17 BLITZ DES SECONDEURS EXTÉRIEURS
S
A
P
P
A
S
S
18 BLITZ DES TROIS SECONDEURS
S
A
P
P
A
S
S

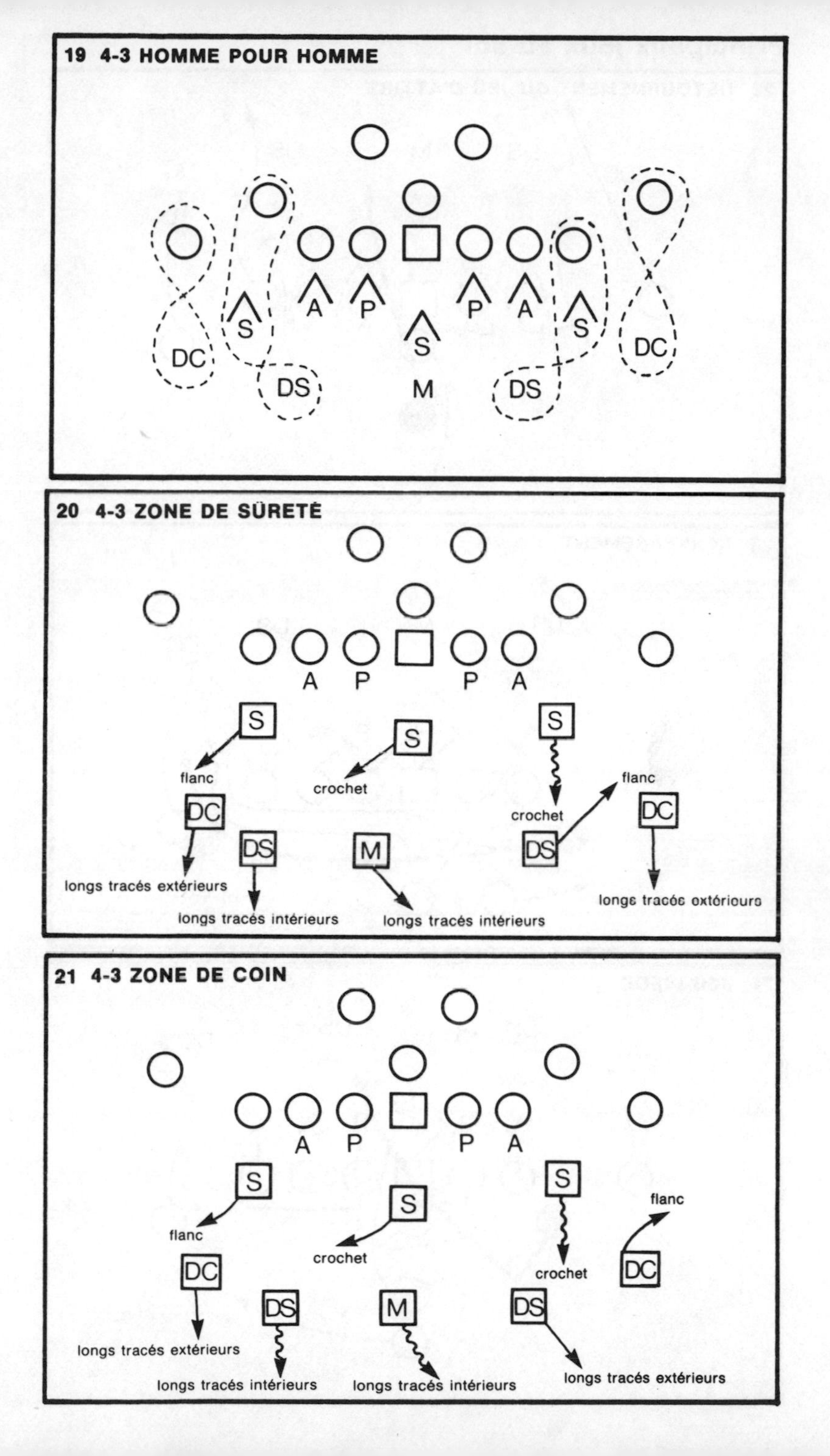
19 4-3 HOMME POUR HOMME
A
P
P
A
S
S
S
DC
DC
DS
DS
M
20 4-3 ZONE DE SÛRETÉ
A
P
P
A
S
S
S
flanc
crochet
crochet
flanc
DC
DC
DS
M
DS
longs tracés extérieurs
longs tracés intérieurs
longs tracés intérieurs
longs tracés extérieurs
21 4-3 ZONE DE COIN
A
P
P
A
S
S
S
flanc
crochet
crochet
flanc
DC
DC
DS
M
DS
longs tracés extérieurs
longs tracés intérieurs
longs tracés intérieurs
longs tracés extérieurs

Principaux jeux au sol

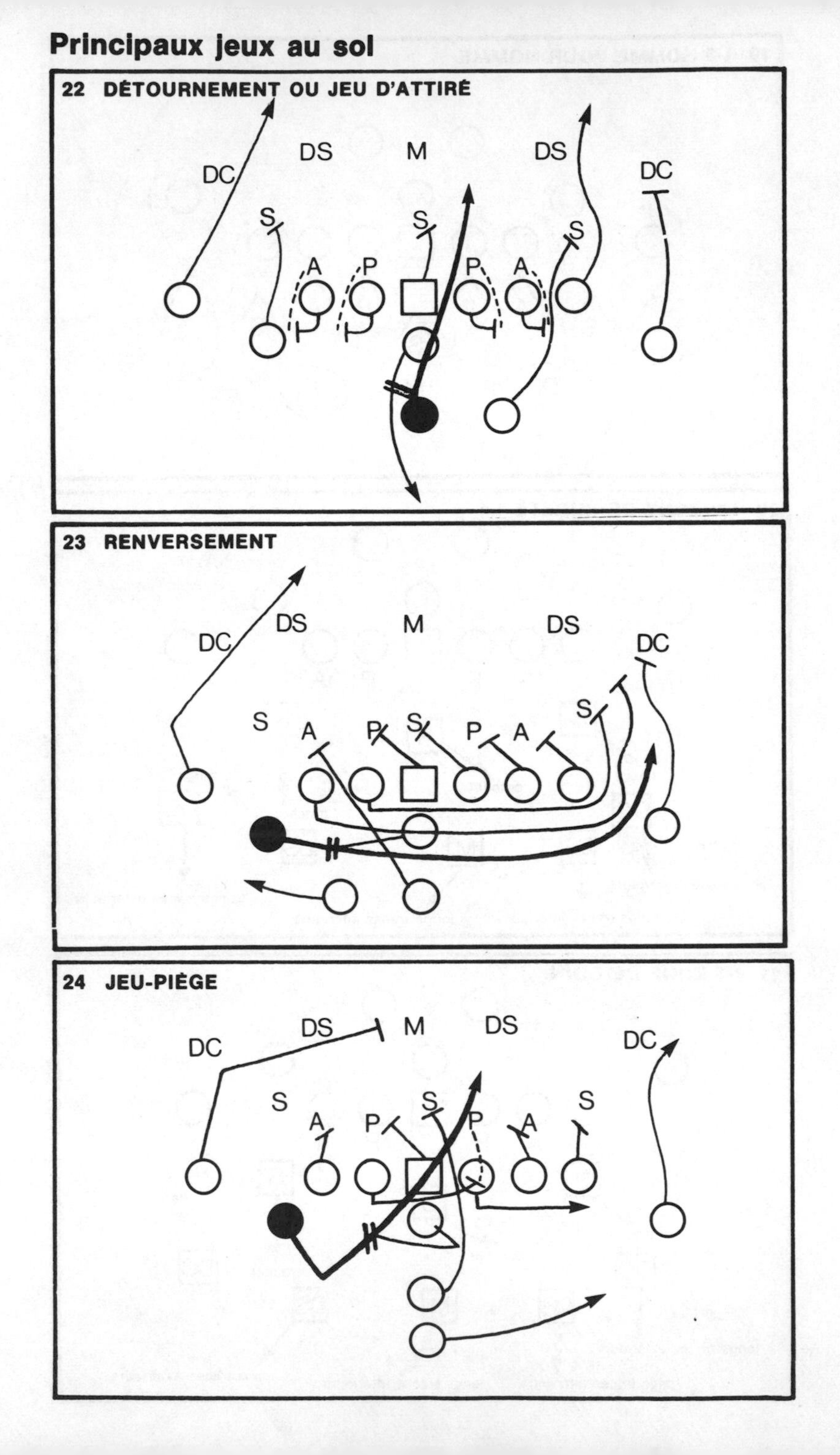

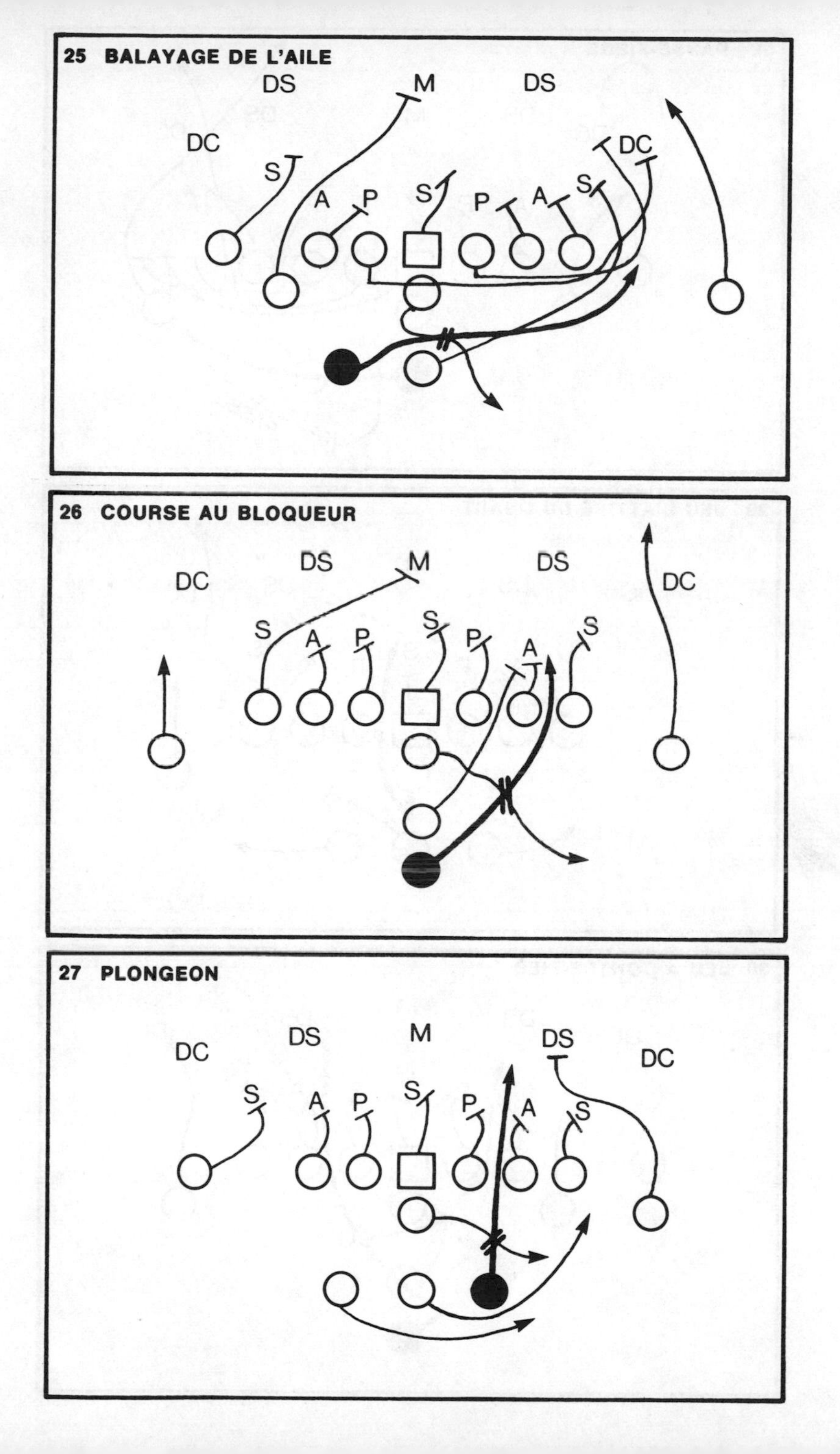
25 BALAYAGE DE L'AILE
DS
M
DS
DC
DC
S
S
S
A
P
P
A
26 COURSE AU BLOQUEUR
DC
DS
M
DS
DC
S
A
P
S
P
A
S
27 PLONGEON
DC
DS
M
DS
DC
S
A
P
S
P
A
S

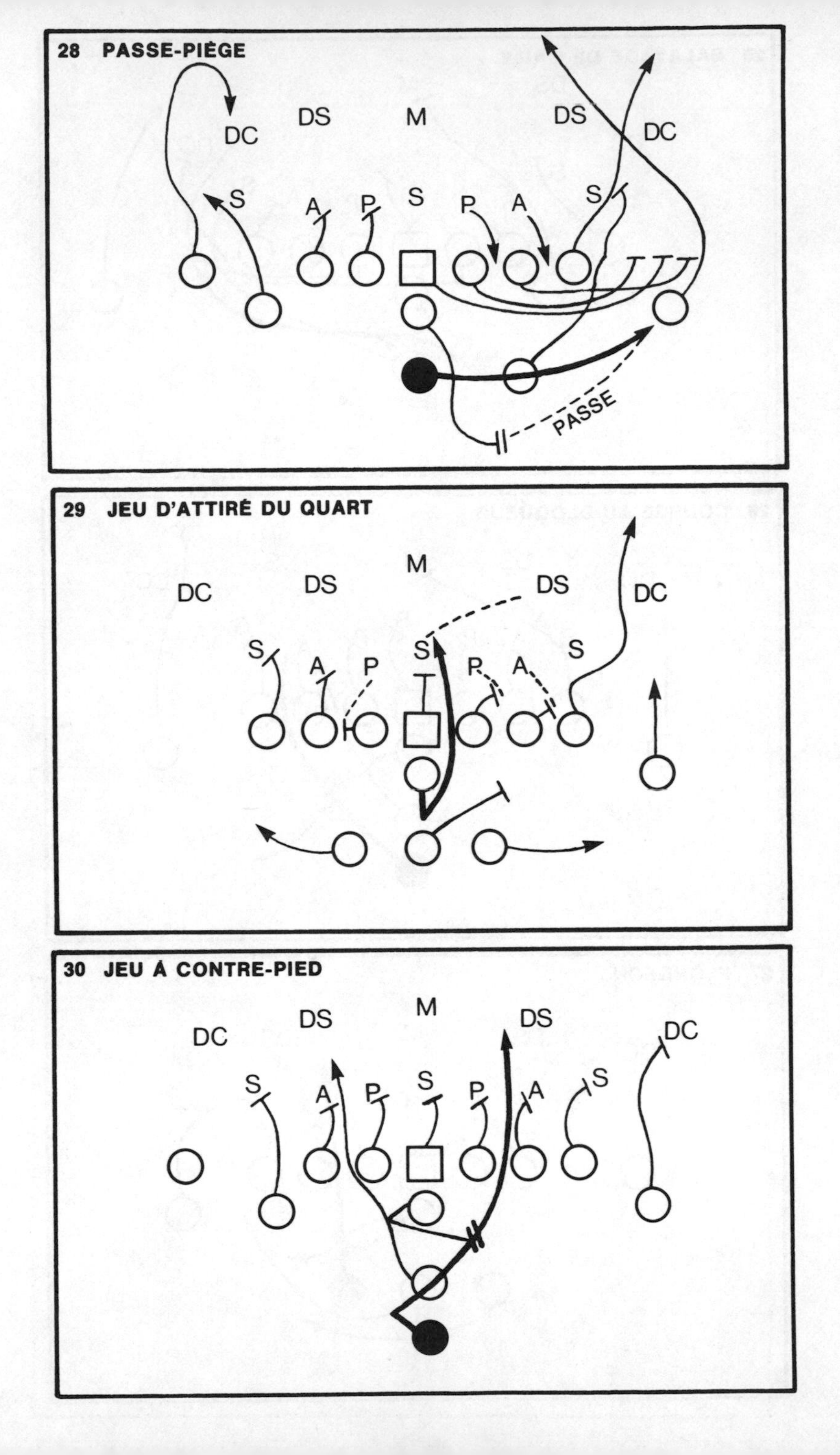
28 PASSE-PIÈGE
DC
DS
M
DS
DC
S
A
P
S
P
A
S
PASSE
29 JEU D'ATTIRÉ DU QUART
M
DC
DS
DS
DC
S
A
P
S
P
A
S
30 JEU À CONTRE-PIED
M
DC
DS
DS
DC
S
A
P
S
P
A
S

Principaux jeux de passe

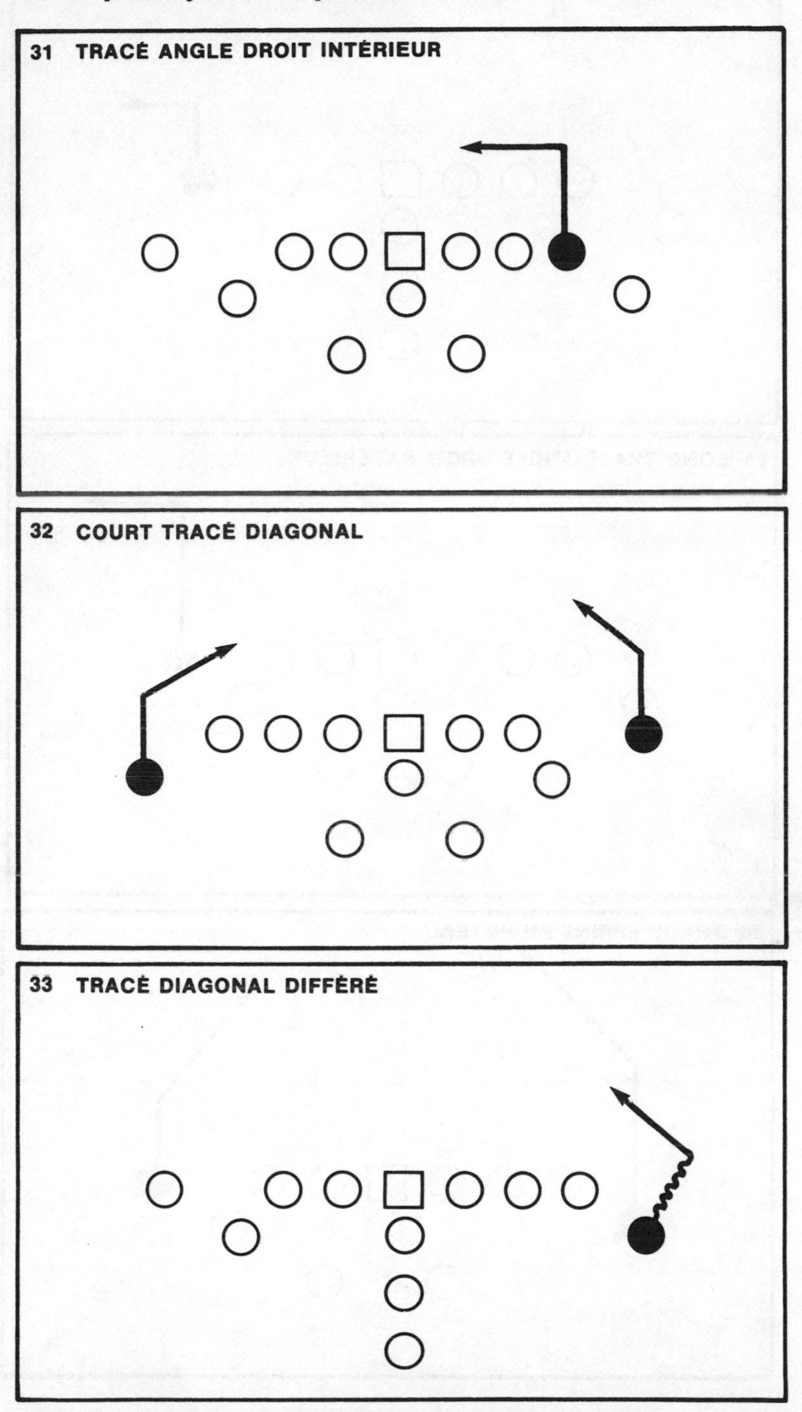

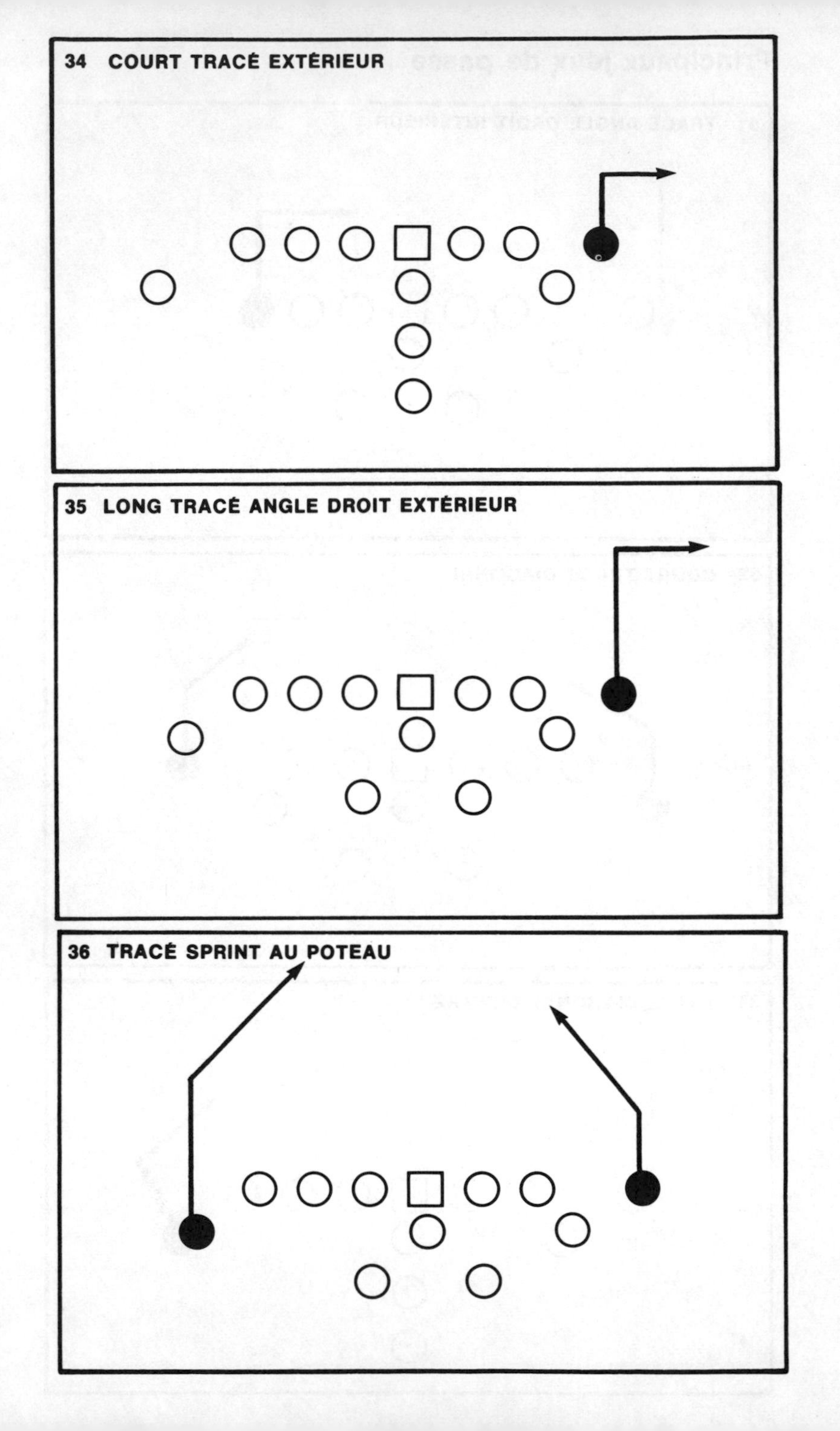
34 COURT TRACÉ EXTÉRIEUR
35 LONG TRACÉ ANGLE DROIT EXTÉRIEUR
36 TRACÉ SPRINT AU POTEAU

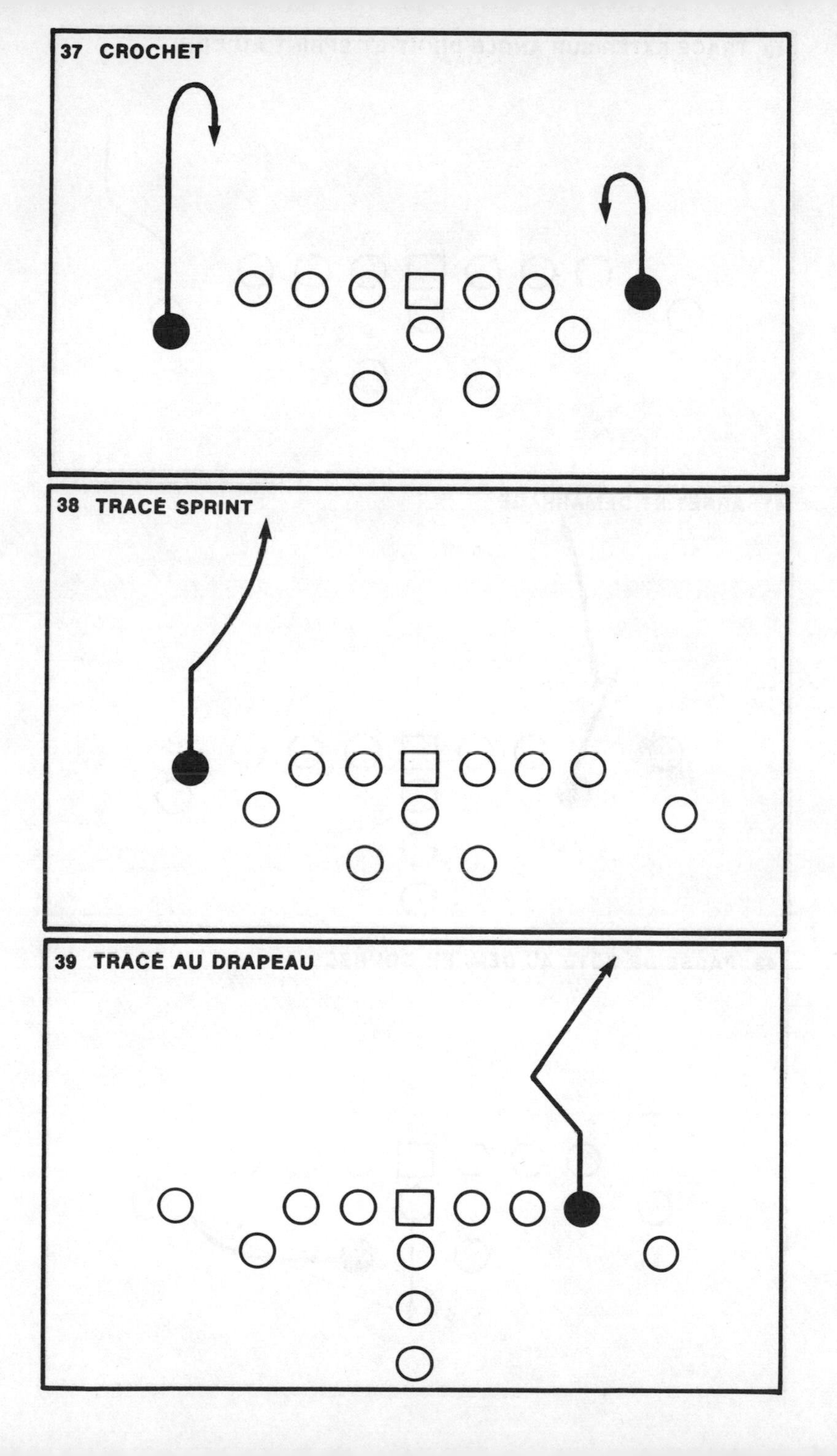
37 CROCHET
38 TRACÉ SPRINT
39 TRACÉ AU DRAPEAU

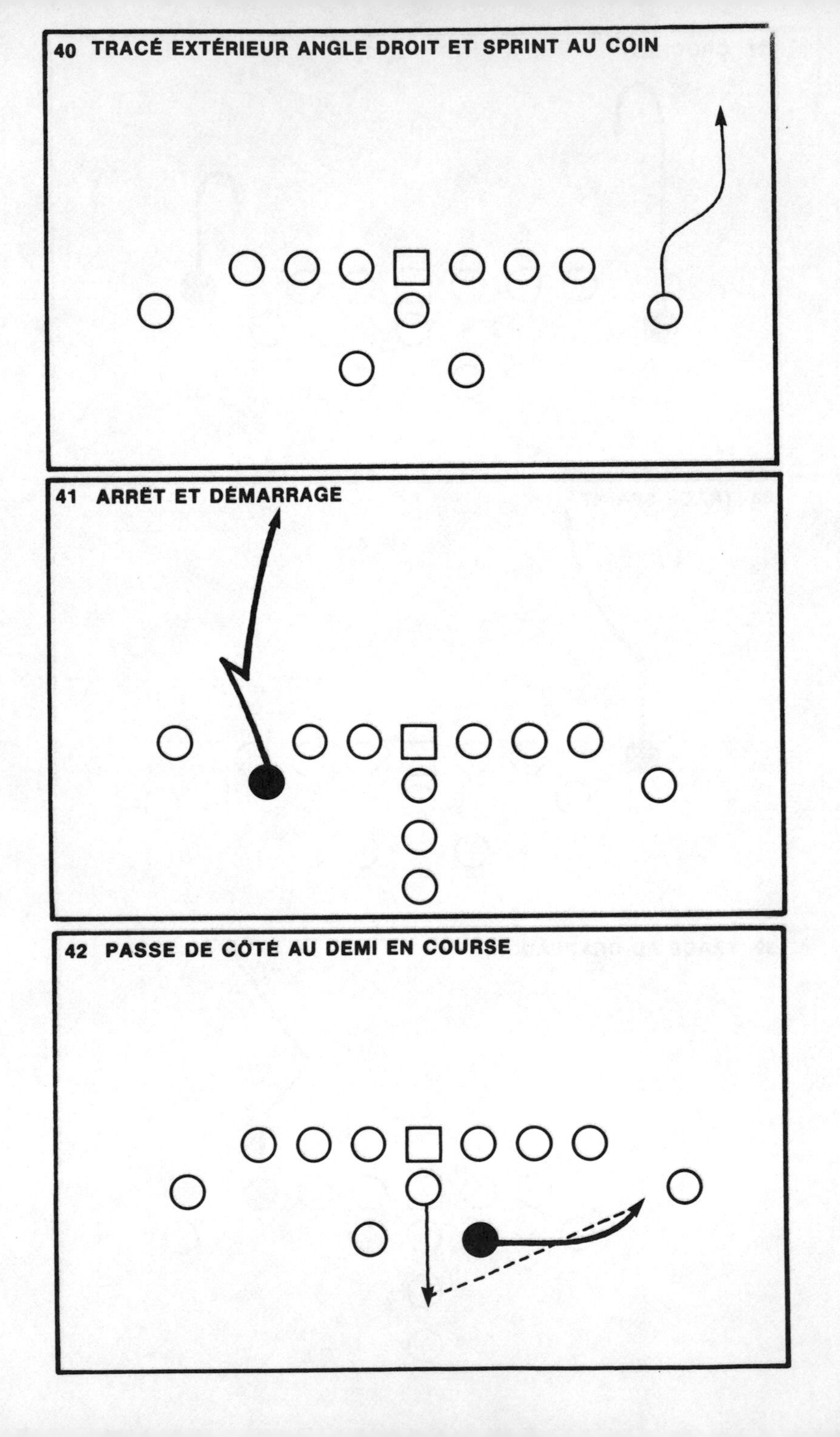
40 TRACÉ EXTÉRIEUR ANGLE DROIT ET SPRINT AU COIN
41 ARRÊT ET DÉMARRAGE
42 PASSE DE CÔTÉ AU DEMI EN COURSE

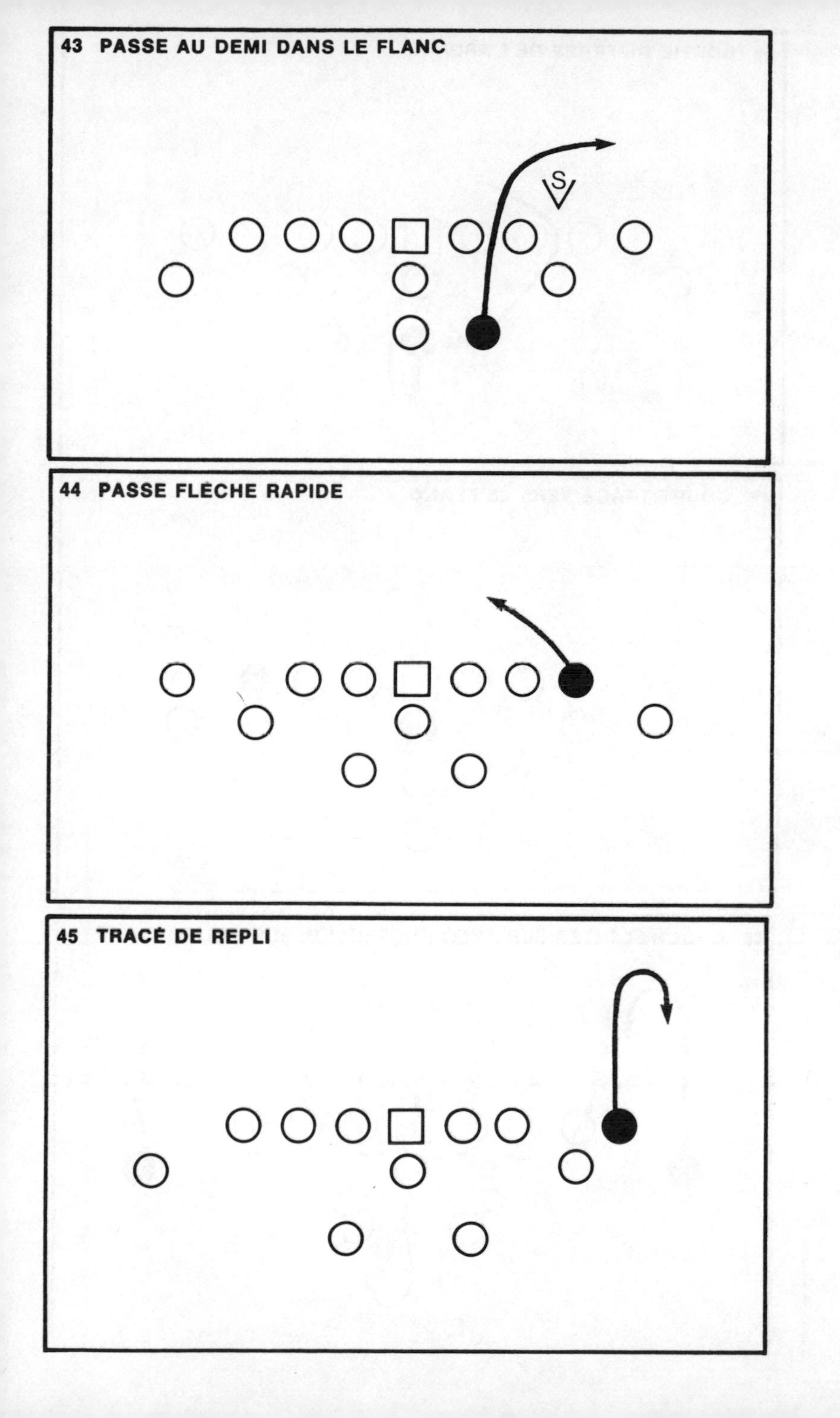
43 PASSE AU DEMI DANS LE FLANC
S
44 PASSE FLÈCHE RAPIDE
45 TRACÉ DE REPLI

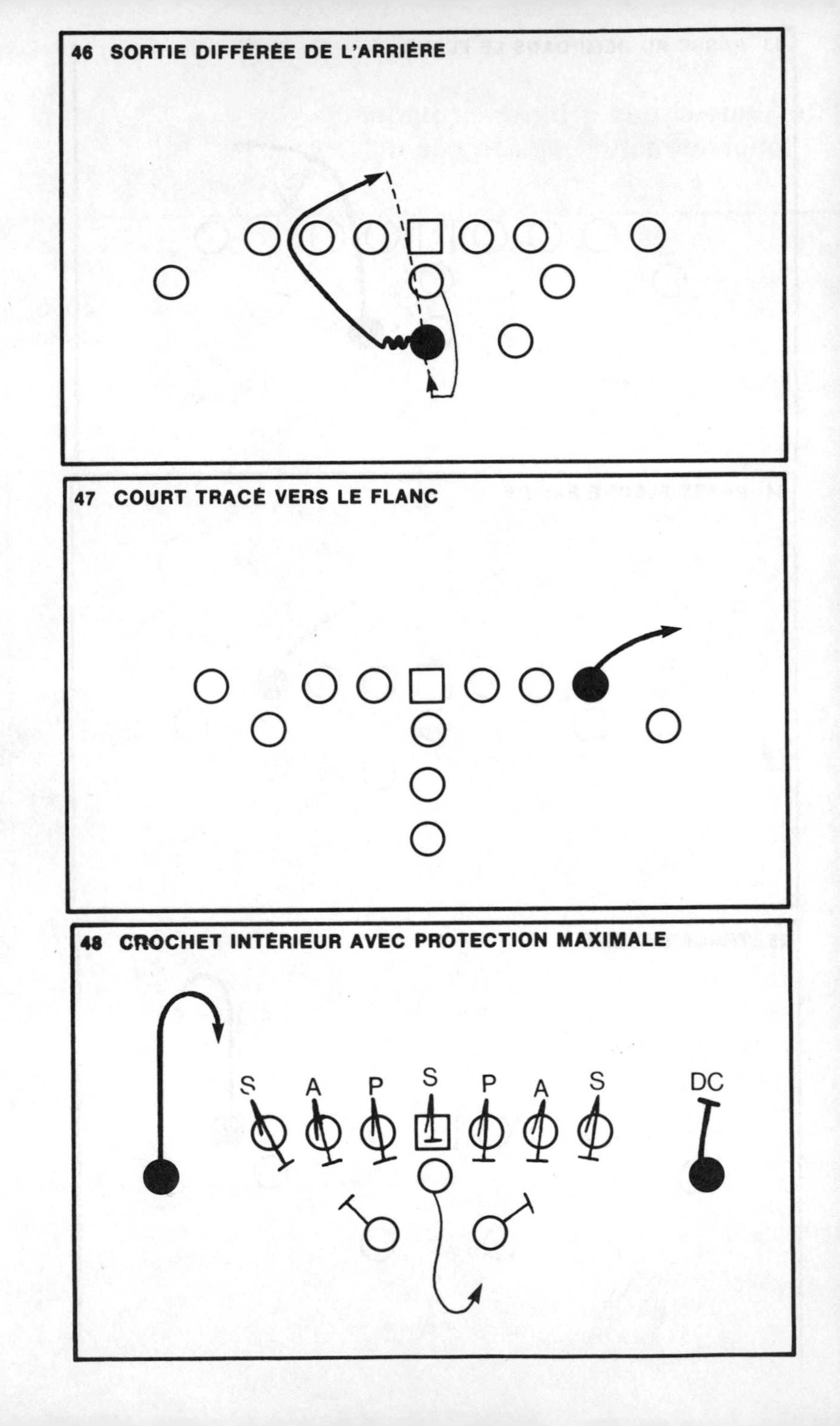
46 SORTIE DIFFÉRÉE DE L'ARRIÈRE
47 COURT TRACÉ VERS LE FLANC
48 CROCHET INTÉRIEUR AVEC PROTECTION MAXIMALE
S
A
P
S
P
A
S
DC

Signaux des arbitres et pénalités pour infraction aux règles du jeu

Signaux des arbitres

49
Reprise du jeu ou décompte du temps

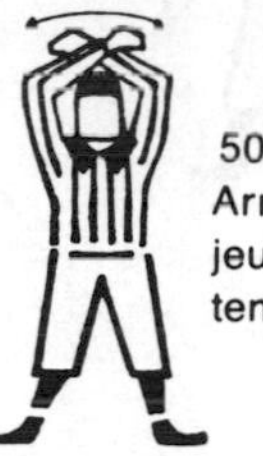

50
Arrêt du jeu ou temps mort

51
Infraction pour avoir retardé le match

52
1er jeu

53
2e jeu

54
3e jeu

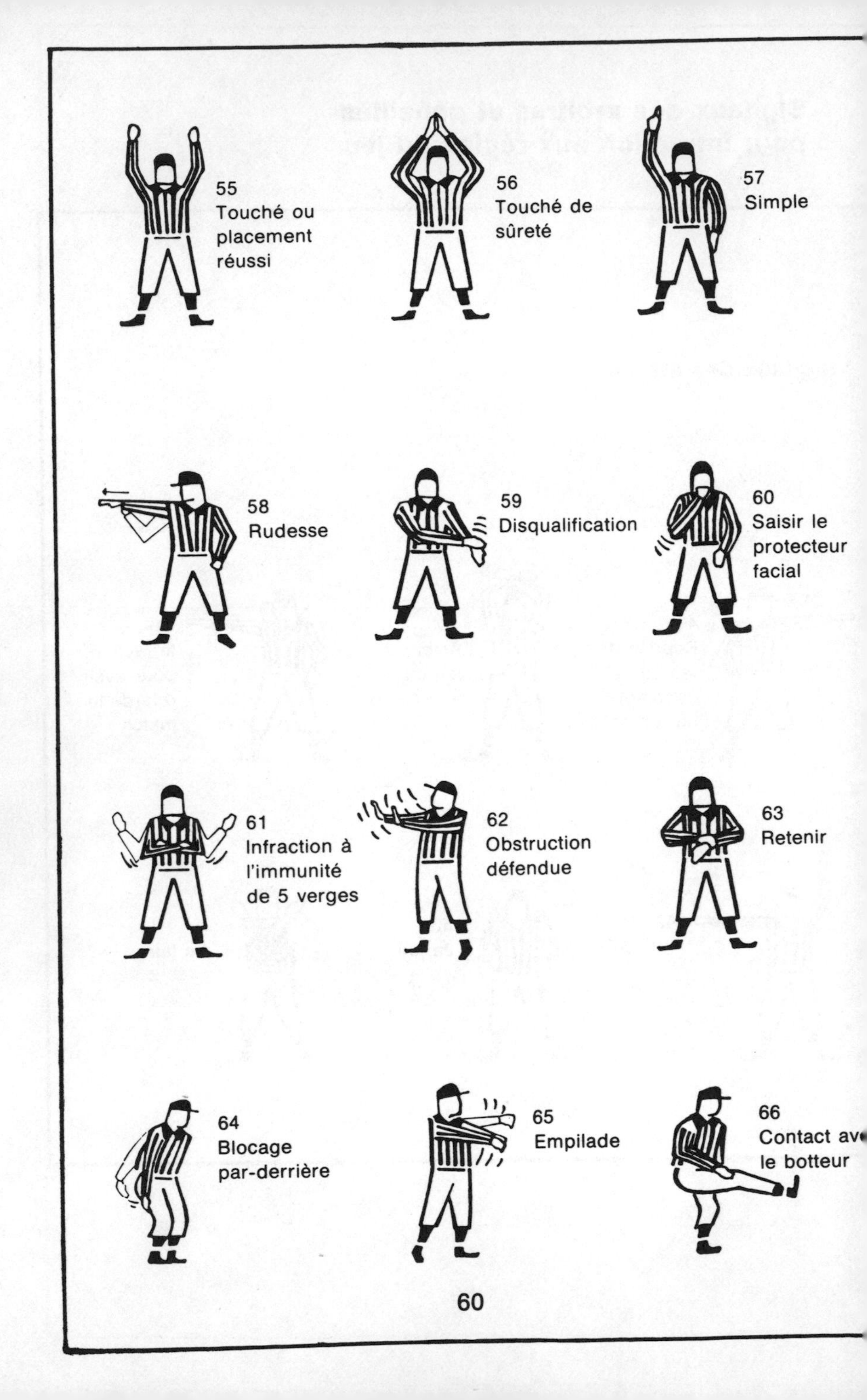
55
Touché ou placement réussi
56
Touché de sûreté
57
Simple
58
Rudesse
59
Disqualification
60
Saisir le protecteur facial
61
Infraction à l'immunité de 5 verges
62
Obstruction défendue
63
Retenir
64
Blocage par-derrière
65
Empilade
66
Contact av
le botteur

67
Hors-jeu

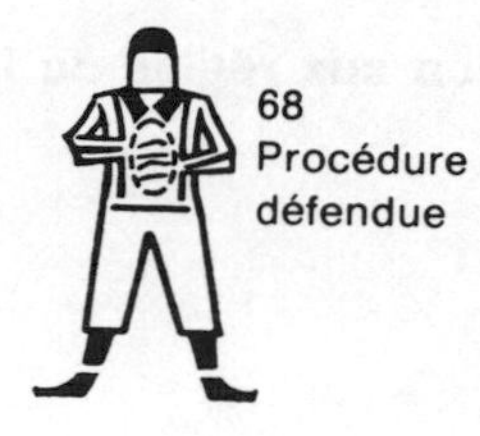
68
Procédure
défendue

69
Passe
prohibée

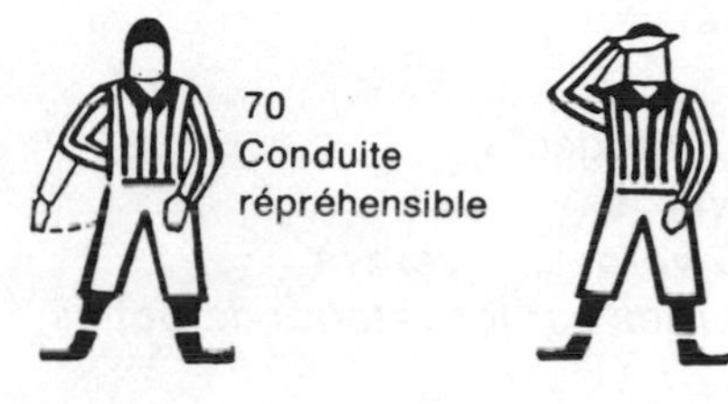
70
Conduite
répréhensible

71
Option sur
pénalité

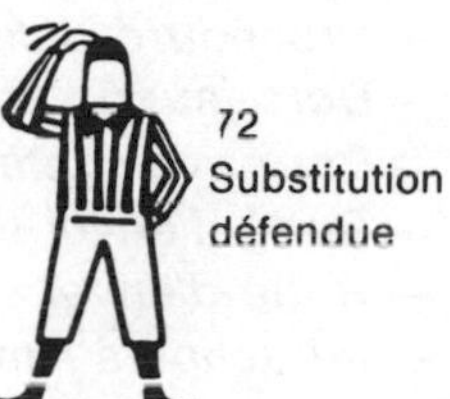
72
Substitution
défendue

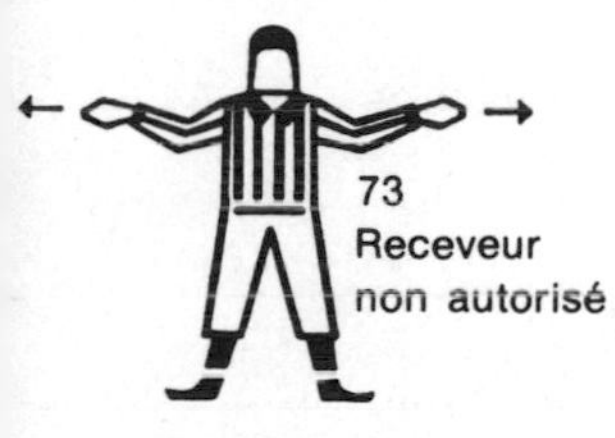
73
Receveur
non autorisé

74
Pénalité
refusée

75
Demande de
mesurage

76
Trop de
joueurs sur
le terrain

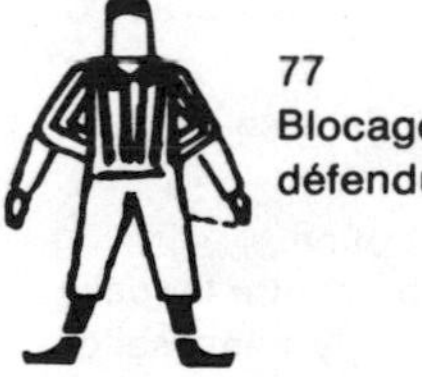
77
Blocage bas
défendu

78
Blocage
en bas de
la ceinture

Pénalités pour infraction aux règles du jeu

— *Passe hors-jeu:* perte d'essai
— *Pour avoir retardé le match dans les trois dernières minutes de chaque demie:* perte d'essai *
— *Procédure défendue:* 5 verges
— *Hors-jeu:* 5 verges
— *Pour avoir retardé le match:* 5 verges
— *Botté d'envoi hors-limites:* 5 verges
— *Botté d'envoi de moins de 10 verges:* 5 verges
— *Infraction à l'immunité de 5 verges sur les retours de bottés de dégagement:* 10 verges
— *Obstruction défendue:* 10 verges
— *Retenir:* 10 verges
— *Conduite répréhensible:* 10 verges
— *Substitution défendue:* 10 verges
— *Receveur non-autorisé:* 10 verges
— *Trop de joueurs sur la surface de jeu:* 10 verges
— *Blocage bas défendu:* 10 verges
— *Rudesse:* 15 verges
— *Saisir le protecteur facial:* 15 verges
— *Blocage par-derrière:* 15 verges
— *Empilade:* 15 verges * *
— *Bloc surprise:* 15 verges
— *Rudesse excessive (disqualification):* 25 verges * *

* Si l'infraction est commise au 3e essai, il y aura pénalisation de 10 verges, mais aucune perte d'essai.

** Ces pénalisations sont sans option.
Dans tous les autres cas, l'équipe contre laquelle l'infraction a été commise a l'option d'accepter ou de décliner la pénalisation.

— *Obstruction sur un jeu de passe:* l'équipe contre laquelle l'infraction a été commise remettra le ballon en jeu à l'endroit où l'infraction a été signalée. Si l'obstruction a été commise par l'équipe à l'attaque, il y aura pénalisation de 10 verges contre celle-ci. L'équipe défensive pourra toutefois refuser la pénalité si elle la juge défavorable à sa position sur le terrain ou si elle intercepte le ballon.

Si l'équipe défensive se rend coupable d'obstruction en deçà de sa ligne de 10 verges, le ballon sera déposé à mi-chemin entre sa ligne de mêlée originelle et la ligne des buts, et l'essai sera répété.

— *Contact avec le botteur:* cette infraction entraîne une remise en jeu de l'équipe à l'attaque et un premier jeu.

Achevé d'imprimer sur les presses de
L'IMPRIMERIE ELECTRA *
pour
LES EDITIONS DE L'HOMME LTÉE

* Division du groupe Sogides Ltée

Ouvrages parus chez les Éditeurs du groupe Sogides

Ouvrages parus aux ÉDITIONS DE L'HOMME

ART CULINAIRE

Art d'apprêter les restes (L'), S. Lapointe, **4.00**
Art de vivre en bonne santé (L'), Dr W. Leblond, **3.00**
Boîte à lunch (La), L. Lagacé, **4.00**
101 omelettes, M. Claude, **3.00**
Cocktails de Jacques Normand (Les), J. Normand, **3.00**
Congélation (La), S. Lapointe, **4.00**
Conserves (Les), Soeur Berthe, **4.00**
Cuisine chinoise (La), L. Gervais, **4.00**
Cuisine de maman Lapointe (La), S. Lapointe, **3.00**
Cuisine de Pol Martin (La), Pol Martin, **4.00**
Cuisine des 4 saisons (La), Mme Hélène Durand-LaRoche, **4.00**
Cuisine en plein air, H. Doucet, **3.00**
Cuisine française pour Canadiens, R. Montigny, **4.00**
Cuisine italienne (La), Di Tomasso, **3.00**
Diététique dans la vie quotidienne, L. Lagacé, **4.00**
En cuisinant de 5 à 6, J. Huot, **3.00**
Fondues et flambées, S. Lapointe, **4.00**
Fruits (Les), J. Goode, **5.00**
Grande Cuisine au Pernod (La), S. Lapointe, **3.00**
Hors-d'oeuvre, salades et buffets froids, L. Dubois, **3.00**
Légumes (Les), J. Goode, **6.00**
Madame reçoit, H.D. LaRoche, **4.00**
Mangez bien et rajeunissez, R. Barbeau, **3.00**
Poissons et fruits de mer, Soeur Berthe, **4.00**
Recettes à la bière des grandes cuisines Molson, M.L. Beaulieu, **4.00**
Recettes au "blender", J. Huot, **4.00**
Recettes de gibier, S. Lapointe, **4.00**
Recettes de Juliette (Les), J. Huot, **4.00**
Recettes de maman Lapointe, S. Lapointe, **3.00**
Régimes pour maigrir, M.J. Beaudoin, **4.00**
Tous les secrets de l'alimentation, M.J. Beaudoin, **2.50**
Vin (Le), P. Petel, **3.00**
Vins, cocktails et spiritueux, G. Cloutier, **3.00**
Vos vedettes et leurs recettes, G. Dufour et G. Poirier, **3.00**
Y'a du soleil dans votre assiette, Georget-Berval-Gignac, **3.00**

DOCUMENTS, BIOGRAPHIE

Architecture traditionnelle au Québec (L'), Y. Laframboise, **10.00**
Art traditionnelle au Québec (L'), Lessard et Marquis, **10.00**
Acadiens (Les), E. Leblanc, **2.00**
Bien-pensants (Les), P. Berton, **2.50**
Bolduc (La), R. Benoît, **1.50**
Bourassa-Québec, R. Bourassa, **1.00**
Camillien Houde, H. Larocque, **1.00**
Canadiens et nous (Les), J. de Roussan, **1.00**
Ce combat qui n'en finit plus, A. Stanké,-J.L. Morgan, **3.00**
Charlebois, qui es-tu?, B. L'Herbier, **3.00**

Des hommes qui bâtissent le Québec, collaboration, **3.00**

Deux innocents en Chine rouge, P.E. Trudeau, J. Hébert, **2.00**

Drapeau canadien (Le), L.A. Biron, **1.00**

Drogues, J. Durocher, **3.00**

Egalité ou indépendance, D. Johnson, **2.00**

Epaves du Saint-Laurent (Les), J. Lafrance, **3.00**

Ermite (L'), L. Rampa, **4.00**

Exxoneration, R. Rohmer, **7.00**

Fabuleux Onassis (Le), C. Cafarakis, **4.00**

Félix Leclerc, J.P. Sylvain, **2.50**

Fête au village, P. Legendre, **2.00**

France des Canadiens (La), R. Hollier, **1.50**

Francois Mauriac, F. Seguin, **1.00**

Greffes du coeur (Les), collaboration, **2.00**

Han Suyin, F. Seguin, **1.00**

Hippies (Les), Time-coll., **3.00**

Imprévisible M. Houde (L'), C. Renaud, **2.00**

Insolences du Frère Untel, F. Untel, **2.00**

J'aime encore mieux le jus de betteraves, A. Stanké, **2.50**

Jean Rostand, F. Seguin, **1.00**

Juliette Béliveau, D. Martineau, **3.00**

Lamia, P.T. de Vosjoli, **5.00**

Louis Aragon, F. Seguin, **1.00**

Magadan, M. Solomon, **6.00**

Maison traditionnelle au Québec (La), M. Lessard, G. Vilandré, **10.00**

Maîtresse (La), James et Kedgley, **4.00**

Mammifères de mon pays, Duchesnay-Dumais, **3.00**

Masques et visages du spiritualisme contemporain, J. Evola, **5.00**

Michel Simon, F. Seguin, **1.00**

Michèle Richard raconte Michèle Richard, M. Richard, **2.50**

Mozart, raconté en 50 chefs-d'oeuvre, P. Roussel, **5.00**

Nationalisation de l'électricité (La), P. Sauriol, **1.00**

Napoléon vu par Guillemin, H. Guillemin, **2.50**

Objets familiers de nos ancêtres, L. Vermette, N. Genêt, L. Décarie-Audet, **6.00**

On veut savoir, (4 t.), L. Trépanier, **1.00 ch.**

Option Québec, R. Lévesque, **2.00**

Pour entretenir la flamme, L. Rampa, **4.00**

Pour une radio civilisée, G. Proulx, **2.00**

Prague, l'été des tanks, collaboration, **3.00**

Premiers sur la lune, Armstrong-Aldrin-Collins, **6.00**

Prisonniers à l'Oflag 79, P. Vallée, **1.00**

Prostitution à Montréal (La), T. Limoges, **1.50**

Provencher, le dernier des coureurs des bois, P. Provencher, **6.00**

Québec 1800, W.H. Bartlett, **15.00**

Rage des goof-balls (La), A. Stanké, M.J. Beaudoin, **1.00**

Rescapée de l'enfer nazi, R. Charrier, **1.50**

Révolte contre le monde moderne, J. Evola, **6.00**

Riopelle, G. Robert, **3.50**

Struma (Le), M. Solomon, **7.00**

Terrorisme québécois (Le), Dr G. Morf, **3.00**

Ti-blanc, mouton noir, R. Laplante, **2.00**

Treizième chandelle (La), L. Rampa, **4.00**

Trois vies de Pearson (Les), Poliquin-Beal, **3.00**

Trudeau, le paradoxe, A. Westell, **5.00**

Ultimatum, R. Rohmer, **6.00**

Un peuple oui, une peuplade jamais! J. Lévesque, **3.00**

Un Yankee au Canada, A. Thério, **1.00**

Une culture appelée québécoise, G. Turi, **2.00**

Vizzini, S. Vizzini, **5.00**

Vrai visage de Duplessis (Le), P. Laporte, **2.00**

ENCYCLOPEDIES

Encyclopédie de la maison québécoise, Lessard et Marquis, **8.00**

Encyclopédie des antiquités du Québec, Lessard et Marquis, **7.00**

Encyclopédie des oiseaux du Québec, W. Earl Godfrey, **8.00**

Encyclopédie du jardinier horticulteur, W.H. Perron, **8.00**

Encyclopédie du Québec, Vol. I et Vol. II, L. Landry, **6.00 ch.**

ESTHETIQUE ET VIE MODERNE

Cellulite (La), Dr G.J. Léonard, **4.00**
Chirurgie plastique et esthétique (La), Dr A. Genest, **2.00**
Embellissez votre corps, J. Ghedin, **2.00**
Embellissez votre visage, J. Ghedin, **1.50**
Etiquette du mariage, Fortin-Jacques, Farley, **4.00**
Exercices pour rester jeune, T. Sekely, **3.00**
Exercices pour toi et moi, J. Dussault-Corbeil, **5.00**
Face-lifting par l'exercice (Le), S.M. Rungé, **4.00**
Femme après 30 ans, N. Germain, **3.00**
Femme émancipée (La), N. Germain et L. Desjardins, **2.00**
Leçons de beauté, E. Serei, **2.50**
Médecine esthétique (La), Dr G. Lanctôt, **5.00**
Savoir se maquiller, J. Ghedin, **1.50**
Savoir-vivre, N. Germain, **2.50**
Savoir-vivre d'aujourd'hui (Le), M.F. Jacques, **3.00**
Sein (Le), collaboration, **2.50**
Soignez votre personnalité, messieurs, E. Serei, **2.00**
Vos cheveux, J. Ghedin, **2.50**
Vos dents, Archambault-Déom, **2.00**

LINGUISTIQUE

Améliorez votre français, J. Laurin, **4.00**
Anglais par la méthode choc (L'), J.L. Morgan, **3.00**
Dictionnaire en 5 langues, L. Stanké, **2.00**
Petit dictionnaire du joual au français, A. Turenne, **3.00**
Savoir parler, R.S. Catta, **2.00**
Verbes (Les), J. Laurin, **4.00**

LITTERATURE

Amour, police et morgue, J.M. Laporte, **1.00**
Bigaouette, R. Lévesque, **2.00**
Bousille et les justes, G. Gélinas, **3.00**
Candy, Southern & Hoffenberg, **3.00**
Cent pas dans ma tête (Les), P. Dudan, **2.50**
Commettants de Caridad (Les), Y. Thériault, **2.00**
Des bois, des champs, des bêtes, J.C. Harvey, **2.00**
Ecrits de la Taverne Royal, collaboration, **1.00**
Hamlet, Prince du Québec, R. Gurik, **1.50**
Homme qui va (L'), J.C. Harvey, **2.00**
J'parle tout seul quand j'en narrache, E. Coderre, **3.00**
Malheur a pas des bons yeux (Le), R. Lévesque, **2.00**
Marche ou crève Carignan, R. Hollier, **2.00**
Mauvais bergers (Les), A.E. Caron, **1.00**
Mes anges sont des diables, J. de Roussan, **1.00**
Mon 29e meurtre, Joey, **8.00**
Montréalités, A. Stanké, **1.50**
Mort attendra (La), A. Malavoy, **1.00**
Mort d'eau (La), Y. Thériault, **2.00**
Ni queue, ni tête, M.C. Brault, **1.00**
Pays voilés, existences, M.C. Blais, **1.50**
Pomme de pin, L.P. Dlamini, **2.00**
Printemps qui pleure (Le), A. Thério, **1.00**
Propos du timide (Les), A. Brie, **1.00**
Séjour à Moscou, Y. Thériault, **2.00**
Tit-Coq, G. Gélinas, **4.00**
Toges, bistouris, matraques et soutanes, collaboration, **1.00**
Un simple soldat, M. Dubé, **4.00**
Valérie, Y. Thériault, **2.00**
Vertige du dégoût (Le), E.P. Morin, **1.00**

LIVRES PRATIQUES – LOISIRS

Aérobix, Dr P. Gravel, **3.00**
Alimentation pour futures mamans, T. Sekely et R. Gougeon, **3.00**
Apprenez la photographie avec Antoine Desilets, A. Desilets, **5.00**
Armes de chasse (Les), Y. Jarrettie, **3.00**
Bougies (Les), W. Schutz, **4.00**
Bricolage (Le), J.M. Doré, **4.00**
Bricolage au féminin (Le), J.-M. Doré, **3.00**
Bridge (Le), V. Beaulieu, **4.00**
Camping et caravaning, J. Vic et R. Savoie, **2.50**
Caractères par l'interprétation des visages, (Les), L. Stanké, **4.00**
Ciné-guide, A. Lafrance, **3.95**
Chaînes stéréophoniques (Les), G. Poirier, **6.00**
Cinquante et une chansons à répondre, P. Daigneault, **3.00**
Comment prévoir le temps, E. Neal, **1.00**
Comment tirer le maximum d'une mini-calculatrice, H. Mullish, **4.00**
Conseils à ceux qui veulent bâtir, A. Pouiin, **2.00**
Conseils aux inventeurs, R.A. Robic, **3.00**
Couture et tricot, M.H. Berthouin, **2.00**
Dictionnaire des mots croisés, noms propres, collaboration, **6.00**
Dictionnaire des mots croisés, noms communs, P. Lasnier, **5.00**
Fins de partie aux dames, H. Tranquille, G. Lefebvre, **4.00**
Fléché (Le), L. Lavigne et F. Bourret, **4.00**
Fourrure (La), C. Labelle, **4.00**
Guide complet de la couture (Le), L. Chartier, **4.00**
Guide de l'astrologie (Le), J. Manolesco, **3.00**
Hatha-yoga pour tous, S. Piuze, **4.00**
8/Super 8/16, A. Lafrance, **5.00**
Hypnotisme (L'), J. Manolesco, **3.00**
Informations touristiques, la France, Deroche et Morgan, **2.50**
Informations touristiques, le Monde, Deroche, Colombani, Savoie, **2.50**
Interprétez vos rêves, L. Stanké, **4.00**
J'installe mon équipement stéréo, T. I et II, J.M. Doré, **3.00 ch.**
Jardinage (Le), P. Pouliot, **4.00**
Je décore avec des fleurs, M. Bassili, **4.00**
Je développe mes photos, A. Desilets, **6.00**
Je prends des photos, A. Desilets, **6.00**
Jeux de société, L. Stanké, **3.00**
Lignes de la main (Les), L. Stanké, **4.00**
Massage (Le), B. Scott, **4.00**
Météo (La), A. Ouellet, **3.00**
Nature et l'artisanat (La), P. Roy, **4.00**
Noeuds (Les), G.R. Shaw, **4.00**
Origami I, R. Harbin, **3.00**
Origami II, R. Harbin, **3.00**
Ouverture aux échecs (L'), C. Coudari, **4.00**
Photo-guide, A. Desilets, **3.95**
Plantes d'intérieur (Les), P. Pouliot, **6.00**
Poids et mesures, calcul rapide, L. Stanké, **3.00**
Poissons du Québec, Juchereau-Duchesnay, **2.00**
Pourquoi et comment cesser de fumer, A. Stanké, **1.00**
La retraite, D. Simard, **2.00**
Tapisserie (La), T.-M. Perrier, N.-B. Langlois, **5.00**
Taxidermie (La), J. Labrie, **4.00**
Technique de la photo, A. Desilets, **6.00**
Techniques du iardinage (Les), P. Pouliot, **6.00**
Tenir maison, F.G. Smet, **2.00**
Tricot (Le), F. Vandelac, **3.00**
Trucs de rangement no 1, J.M. Doré, **3.00**
Trucs de rangement no 2, J.M. Doré, **4.00**
Vive la compagnie, P. Daigneault, **3.00**
Vivre, c'est vendre, J.M. Chaput, **4.00**
Voir clair aux dames, H. Tranquille, **3.00**
Voir clair aux échecs, H. Tranquille, **4.00**
Votre avenir par les cartes, L. Stanké, **4.00**
Votre discothèque, P. Roussel, **4.00**
Votre pelouse, P. Pouliot, **5.00**

LE MONDE DES AFFAIRES ET LA LOI

ABC du marketing (L'), A. Dahamni, **3.00**
Bourse (La), A. Lambert, **3.00**
Budget (Le), collaboration, **4.00**
Ce qu'en pense le notaire, Me A. Senay, **2.00**
Connaissez-vous la loi? R. Millet, **3.00**
Dactylographie (La), W. Lebel, **2.00**
Dictionnaire de la loi (Le), R. Millet, **2.50**
Dictionnaire des affaires (Le), W. Lebel, **3.00**
Dictionnaire économique et financier, E. Lafond, **4.00**
Divorce (Le), M. Champagne et Léger, **3.00**
Guide de la finance (Le), B. Pharand, **2.50**
Loi et vos droits (La), Me P.A. Marchand, **5.00**
Secrétaire (Le/La) bilingue, W. Lebel, **2.50**

PATOF

Cuisinons avec Patof, J. Desrosiers, **1.29**
Patof raconte, J. Desrosiers, **0.89**
Patofun, J. Desrosiers, **0.89**

SANTE, PSYCHOLOGIE, EDUCATION

Activité émotionnelle (L'), P. Fletcher, **3.00**
Apprenez à connaître vos médicaments, R. Poitevin, **3.00**
Caractères et tempéraments, C.-G. Sarrazin, **3.00**
Comment nourrir son enfant, L. Lambert-Lagacé, **4.00**
Comment vaincre la gêne et la timidité, R.S. Catta, **3.00**
Communication et épanouissement personnel, L. Auger, **4.00**
Complexes et psychanalyse, P. Valinieff, **4.00**
Contraception (La), Dr L. Gendron, **3.00**
Cours de psychologie populaire, F. Cantin, **4.00**
Dépression nerveuse (La), collaboration, **3.00**
Développez votre personnalité, vous réussirez, S. Brind'Amour, **3.00**
Douze premiers mois de mon enfant (Les), F. Caplan, **10.00**
Dynamique des groupes, Aubry-Saint-Arnaud, **3.00**
En attendant mon enfant, Y.P. Marchessault, **4.00**
Femme enceinte (La), Dr R. Bradley, **4.00**
Guérir sans risques, Dr E. Plisnier, **3.00**
Guide des premiers soins, Dr J. Hartley, **4.00**
Guide médical de mon médecin de famille, Dr M. Lauzon, **3.00**
Langage de votre enfant (Le), C. Langevin, **3.00**
Maladies psychosomatiques (Les), Dr R. Foisy, **3.00**
Maman et son nouveau-né (La), T. Sekely, **3.00**
Parents face à l'année scolaire (Les), collaboration, **2.00**
Personne humaine (La), Y. Saint-Arnaud, **4.00**
Pour vous future maman, T. Sekely, **3.00**
15/20 ans, F. Tournier et P. Vincent, **4.00**
Relaxation sensorielle (La), Dr P. Gravel, **3.00**
S'aider soi-même, L. Auger, **4.00**
Volonté (La), l'attention, la mémoire, R. Tocquet, **4.00**
Vos mains, miroir de la personnalité, P. Maby, **3.00**
Votre écriture, la mienne et celle des autres, F.X. Boudreault, **2.00**
Votre personnalité, votre caractère, Y. Benoist-Morin, **3.00**
Yoga, corps et pensée, B. Leclerq, **3.00**
Yoga, santé totale pour tous, G. Lescouflar, **3.00**

SEXOLOGIE

Adolescent veut savoir (L'), Dr L. Gendron, **3.00**
Adolescente veut savoir (L'), Dr L. Gendron, **3.00**
Amour après 50 ans (L'), Dr L. Gendron, **3.00**
Couple sensuel (Le), Dr L. Gendron, **3.00**
Déviations sexuelles (Les), Dr Y. Léger, **4.00**
Femme et le sexe (La), Dr L. Gendron, **3.00**
Helga, E. Bender, **6.00**
Homme et l'art érotique (L'), Dr L. Gendron, **3.00**
Madame est servie, Dr L. Gendron, **2.00**
Maladies transmises par relations sexuelles, Dr L. Gendron, **2.00**
Mariée veut savoir (La), Dr L. Gendron, **3.00**
Ménopause (La), Dr L. Gendron, **3.00**
Merveilleuse histoire de la naissance (La), Dr L. Gendron, **4.50**
Qu'est-ce qu'un homme, Dr L. Gendron, **3.00**
Qu'est-ce qu'une femme, Dr L. Gendron, **4.00**
Quel est votre quotient psycho-sexuel? Dr L. Gendron, **3.00**
Sexualité (La), Dr L. Gendron, **3.00**
Teach-in sur la sexualité, Université de Montréal, **2.50**
Yoga sexe, Dr L. Gendron et S. Piuze, **4.00**

SPORTS (collection dirigée par Louis Arpin)

ABC du hockey (L'), H. Meeker, **3.00**
Aikido, au-delà de l'agressivité, M. Di Villadorata, **4.00**
Baseball (Le), collaboration, **2.50**
Bicyclette (La), J. Blish, **4.00**
Comment se sortir du trou au golf, Brien et Barrette, **4.00**
Course-Auto 70, J. Duval, **3.00**
Courses de chevaux (Les), Y. Leclerc, **3.00**
Devant le filet, J. Plante, **3.00**
Entraînement par les poids et haltères, F. Ryan, **3.00**
Expos, cinq ans après, D. Brodeur, J.-P. Sarrault, **3.00**
Football (Le), collaboration, **2.50**
Football professionnel, J. Séguin, **3.00**
Guide de l'auto (Le) (1967), J. Duval, **2.00**
(1968-69-70-71), 3.00 chacun

Guide du judo, au sol (Le), L. Arpin, **4.00**
Guide du judo, debout (Le), L. Arpin, **4.00**
Guide du self-defense (Le), L. Arpin, **4.00**
Guide du trappeur,
P. Provencher, **4.00**
Initiation à la plongée sous-marine,
R. Goblot, **5.00**
J'apprends à nager, R. Lacoursière, **4.00**
Jocelyne Bourassa,
J. Barrette et D. Brodeur, **3.00**
Karaté (Le), Y. Nanbu, **4.00**
Livre des règlements, LNH, **1.50**
Lutte olympique (La), M. Sauvé, **4.00**
Match du siècle: Canada-URSS,
D. Brodeur, G. Terroux, **3.00**
Mon coup de patin, le secret du hockey,
J. Wild, **3.00**
Moto (La), Duhamel et Balsam, **4.00**
Natation (La), M. Mann, **2.50**
Natation de compétition (La),
R. Lacoursière, **3.00**
Parachutisme (Le), C. Bédard, **4.00**
Pêche au Québec (La), M. Chamberland, **5.00**
Petit guide des Jeux olympiques,
J. About, M. Duplat, **2.00**
Puissance au centre, Jean Béliveau,
H. Hood, **3.00**
Raquette (La), Osgood et Hurley, **4.00**
Ski (Le), W. Schaffler-E. Bowen, **3.00**
Ski de fond (Le), J. Caldwell, **4.00**
Soccer, G. Schwartz, **3.50**
Stratégie au hockey (La), J.W. Meagher, **3.00**
Surhommes du sport, M. Desjardins, **3.00**
Techniques du golf,
L. Brien et J. Barrette, **4.00**
Techniques du tennis, Ellwanger, **4.00**
Tennis (Le), W.F. Talbert, **3.00**
Tous les secrets de la chasse,
M. Chamberland, **3.00**
Tous les secrets de la pêche,
M. Chamberland, **3.00**
36-24-36, A. Coutu, **3.00**
Troisième retrait (Le), C. Raymond,
M. Gaudette, **3.00**
Vivre en forêt, P. Provencher, **4.00**
Vivre en plein air, P. Gingras, **4.00**
Voie du guerrier (La), M. di Villadorata, **4.00**
Voile (La), Nik Kebedgy, **5.00**

Ouvrages parus à L'ACTUELLE JEUNESSE

Echec au réseau meurtrier, R. White, **1.00**
Engrenage (L'), C. Numainville, **1.00**
Feuilles de thym et fleurs d'amour,
M. Jacob, **1.00**
Lady Sylvana, L. Morin, **1.00**
Moi ou la planète, C. Montpetit, **1.00**
Porte sur l'enfer, M. Vézina, **1.00**
Silences de la croix du Sud (Les),
D. Pilon, **1.00**
Terreur bleue (La), L. Gingras, **1.00**
Trou (Le), S. Chapdelaine, **1.00**
Une chance sur trois, S. Beauchamp, **1.00**
22,222 milles à l'heure, G. Gagnon, **1.00**

Ouvrages parus à L'ACTUELLE

Aaron, Y. Thériault, **3.00**
Agaguk, Y. Thériault, **4.00**
Allocutaire (L'), G. Langlois, **2.50**
Bois pourri (Le), A. Maillet, **2.50**
Carnivores (Les), F. Moreau, **2.50**
Carré Saint-Louis, J.J. Richard, **3.00**
Centre-ville, J.-J. Richard, **3.00**
Chez les termites,
M. Ouellette-Michalska, **3.00**
Cul-de-sac, Y. Thériault, **3.00**
D'un mur à l'autre, P.A. Bibeau, **2.50**
Danka, M. Godin, **3.00**
Débarque (La), R. Plante, **3.00**

Demi-civilisés (Les), J.C. Harvey, **3.00**
Dernier havre (Le), Y. Thériault, **2.50**
Domaine de Cassaubon (Le), G. Langlois, **3.00**
Dompteur d'ours (Le), Y. Thériault, **3.00**
Doux Mal (Le), A. Maillet, **3.00**
En hommage aux araignées, E. Rochon, **3.00**
Et puis tout est silence, C. Jasmin, **3.00**
Faites de beaux rêves, J. Poulin, **3.00**
Fille laide (La), Y. Thériault, **4.00**
Fréquences interdites, P.-A. Bibeau, **3.00**
Fuite immobile (La), G. Archambault, **3.00**
Jeu des saisons (Le), M. Ouellette-Michalska, **2.50**
Marche des grands cocus (La), R. Fournier, **3.00**
Monsieur Isaac, N. de Bellefeuille et G. Racette, **3.00**
Mourir en automne, C. de Cotret, **2.50**
N'Tsuk, Y. Thériault **3.00**
Neuf jours de haine, J.J. Richard, **3.00**
New Medea, M. Bosco, **3.00**
Ossature (L'), R. Morency, **3.00**
Outaragasipi (L'), C. Jasmin, **3.00**
Petite fleur du Vietnam (La), C. Gaumont, **3.00**
Pièges, J.J. Richard, **3.00**
Porte Silence, P.A. Bibeau, **2.50**
Requiem pour un père, F. Moreau, **2.50**
Scouine (La), A. Laberge, **3.00**
Tayaout, fils d'Agaguk, Y. Thériault, **3.00**
Tours de Babylone (Les), M. Gagnon, **3.00**
Vendeurs du Temple (Les), Y. Thériault, **3.00**
Visages de l'enfance (Les), D. Blondeau, **3.00**
Vogue (La), P. Jeancard, **3.00**

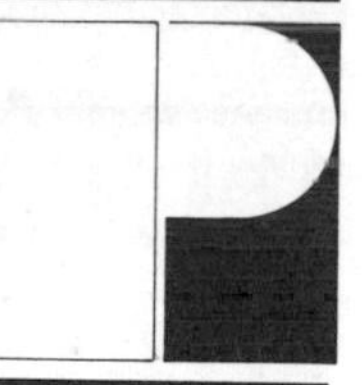

Amour (L'), collaboration **7.00**
Amour humain (L'), R. Fournier, **2.00**
Anik, Gilan, **3.00**
Ariâme . . .Plage nue, P. Dudan, **3.00**
Assimilation pourquoi pas? (L'), L. Landry, **2.00**
Aventures sans retour, C.J. Gauvin, **3.00**
Bateau ivre (Le), M. Metthé, **2.50**
Cent Positions de l'amour (Les), H. Benson, **4.00**
Comment devenir vedette, J. Beaulne, **3.00**
Couple sensuel (Le), Dr L. Gendron, **3.00**
Des Zéroquois aux Québécois, C. Falardeau, **2.00**
Emmanuelle à Rome, 5.00
Exploits du Colonel Pipe (Les), R. Pradel, **3.00**
Femme au Québec (La), M. Barthe et M. Dolment, **3.00**
Franco-Fun Kébecwa, F. Letendre, **2.50**
Guide des caresses, P. Valinieff, **4.00**
Incommunicants (Les), L. Leblanc, **2.50**
Initiation à Menke Katz, A. Amprimoz, **1.50**
Joyeux Troubadours (Les), A. Rufiange, **2.00**
Ma cage de verre, M. Metthé, **2.50**
Maria de l'hospice, M. Grandbois, **2.00**
Menues, dodues, Gilan, **3.00**
Mes expériences autour du monde, R. Boisclair, **3.00**
Mine de rien, G. Lefebvre, **3.00**
Monde agricole (Le), J.C. Magnan, **3.50**
Négresse blonde aux yeux brides (La), C. Falardeau, **2.00**
Niska, G. Mirabelle, **12.00**
Paradis sexuel des aphrodisiaques (Le), M. Rouet, **4.00**
Plaidoyer pour la grève et la contestation, A. Beaudet, **2.00**
Positions +, J. Ray, **4.00**
Pour une éducation de qualité au Québec, C.H. Rondeau, **2.00**
Québec français ou Québec québécois, L. Landry, **3.00**
Rêve séparatiste (Le), L. Rochette, **2.00**
Séparatiste, non, 100 fois non! Comité Canada, **2.00**
Terre a une taille de guêpe (La), P. Dudan, **3.00**
Tocap, P. de Chevigny, **2.00**
Virilité et puissance sexuelle, M. Rouet, **3.00**
Voix de mes pensées (La), E. Limet, **2.50**

Books published by HABITEX

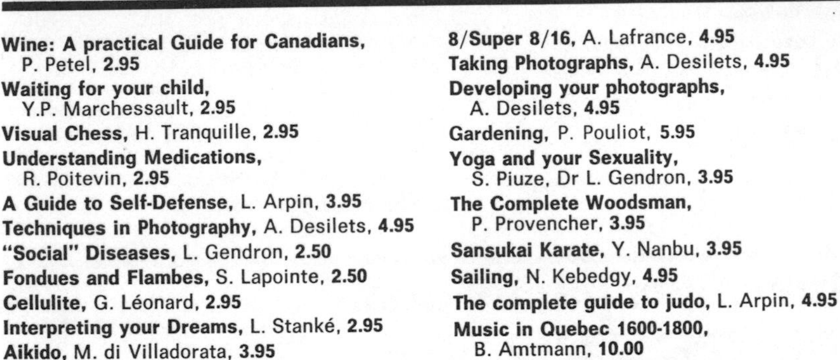

Wine: A practical Guide for Canadians, P. Petel, **2.95**
Waiting for your child, Y.P. Marchessault, **2.95**
Visual Chess, H. Tranquille, **2.95**
Understanding Medications, R. Poitevin, **2.95**
A Guide to Self-Defense, L. Arpin, **3.95**
Techniques in Photography, A. Desilets, **4.95**
"Social" Diseases, L. Gendron, **2.50**
Fondues and Flambes, S. Lapointe, **2.50**
Cellulite, G. Léonard, **2.95**
Interpreting your Dreams, L. Stanké, **2.95**
Aikido, M. di Villadorata, **3.95**
8/Super 8/16, A. Lafrance, **4.95**
Taking Photographs, A. Desilets, **4.95**
Developing your photographs, A. Desilets, **4.95**
Gardening, P. Pouliot, **5.95**
Yoga and your Sexuality, S. Piuze, Dr L. Gendron, **3.95**
The Complete Woodsman, P. Provencher, **3.95**
Sansukai Karate, Y. Nanbu, **3.95**
Sailing, N. Kebedgy, **4.95**
The complete guide to judo, L. Arpin, **4.95**
Music in Quebec 1600-1800, B. Amtmann, **10.00**

Diffusion Europe

Belgique: 21, rue Defacqz — 1050 Bruxelles
France: 4, rue de Fleurus — 75006 Paris

CANADA	BELGIQUE	FRANCE
$ 2.00	100 FB	13 F
$ 2.50	125 FB	16,25 F
$ 3.00	150 FB	19,50 F
$ 3.50	175 FB	22,75 F
$ 4.00	200 FB	26 F
$ 5.00	250 FB	32,50 F
$ 6.00	300 FB	39 F
$ 7.00	350 FB	45,50 F
$ 8.00	400 FB	52 F
$ 9.00	450 FB	58,50 F
$10.00	500 FB	65 F